Catalogage avant publication de Bibliothèque et Archives
nationales du Québec et Bibliothèque et Archives Canada

Côté-Fournier, Alexandre

Les enquêtes de Gustave : une sale affaire de dentifrice

(Collection Zèbre)
Pour les jeunes de 10 à 14 ans.

ISBN 978-2-89579-470-7

I. Titre. II. Collection : Collection Zèbre.

PS8605.O873E56 2012   jC843'.6   C2012-940888-3
PS9605.O873E56 2012

Dépôt légal – Bibliothèque et Archives nationales du Québec, 2012
Bibliothèque et Archives Canada, 2012

Direction de collection : Carole Tremblay
Révision : Sophie Sainte-Marie
Conception graphique, couverture et pages intérieures : Kuizin Studio (*kuizin.com*)
Photographies et illustrations : Marc Serre (p.47, p.88, p.89) **Creative Commons :** CJTravelTips.com (p.13),
jrobertmoore (p.13), Gabarit KidRobot Munny (p.18, p.46, p.47, p.58, p.63, p.75, p.83, p.84, p.88, p.89, p.99,
p.106, p.116, p.119), PeachDesign Hand Pack (p.13, p.21, p.66, p.132), **thenounproject.com collection :**
« Computer » par The Noun Project (p.20), « Broken Heart » par Dave Tappy (p.79),
« User » par Ryan Oksenhorn (p.141), « Hot dog » par Andrew Cameron (p.143)

Nous reconnaissons l'aide financière du gouvernement du Canada par l'entremise
du Fonds du livre du Canada (FLC) pour des activités de développement de notre entreprise.

Conseil des Arts   Canada Council
du Canada   for the Arts

Bayard Canada Livres inc. remercie le Conseil des Arts du Canada du soutien accordé
à son programme d'édition dans le cadre du Programme des subventions globales aux éditeurs.

Cet ouvrage a été publié avec le soutien de la SODEC. Gouvernement du Québec —
Programme de crédit d'impôt pour l'édition de livres — Gestion SODEC.

Bayard Canada Livres
4475, rue Frontenac, Montréal (Québec) H2H 2S2
Téléphone : 514 844-2111 ou 1 866 844-2111
edition@bayardcanada.com
bayardlivres.ca

Imprimé au Canada

Offert en version numérique
978-2-89579-892-7
bayardlivres.ca

Les enquêtes de Gustave

Une sale affaire de dentifrice

Alexandre Côté-Fournier

à Daphnée

Les enquêtes de Gustave

Une sale affaire de dentifrice

Alexandre Côté-Fournier

COLLECTION ZĒBRE

Je ne veux surtout pas vous embêter avec mes devoirs. Vous gaspillez déjà vos soirées à mourir d'ennui à cause de travaux scolaires insipides. J'imagine que la dernière chose dont vous avez envie, c'est de lire une histoire sur les devoirs de quelqu'un d'autre. Aussi bien vous plonger dans la lecture du mode d'emploi d'une pompe à air.

Pourtant, je vais vous raconter l'histoire d'un de mes devoirs.

Vous souhaitez peut-être déjà jeter ce livre au bout de vos bras. Et cela, en espérant qu'il tombera dans le bec d'un oiseau de proie, et que l'oiseau sera lui-même avalé par le moteur d'une fusée. Idéalement, la fusée se rendrait sur Mars, où le livre serait trouvé par une horde de robots buveurs de sang, qui s'en serviraient comme serviette de table, avant de le brûler pour le détruire à tout jamais.

Mais attendez! J'ai deux bonnes raisons pour que vous gardiez cette histoire à la main. La première, c'est que, pendant ce travail, il s'est produit des incidents davantage dignes d'un film à suspense que d'un projet scolaire. La deuxième, c'est que je vis en l'an 2097. Mes devoirs, ce sont des devoirs du futur. Ils sont peut-être aussi ennuyeux que les vôtres, mais, au moins, ça fait changement, non ?

Je pourrais même ajouter une troisième raison : des robots buveurs de sang, sur Mars, ça n'existe pas. Tout le monde sait qu'ils se nourrissent uniquement de bile et de sucs gastriques. Alors ne comptez pas sur eux pour vous débarrasser de ce bouquin.

Bon, assez bavardé. Mon histoire commence après cette petite pause publicitaire.

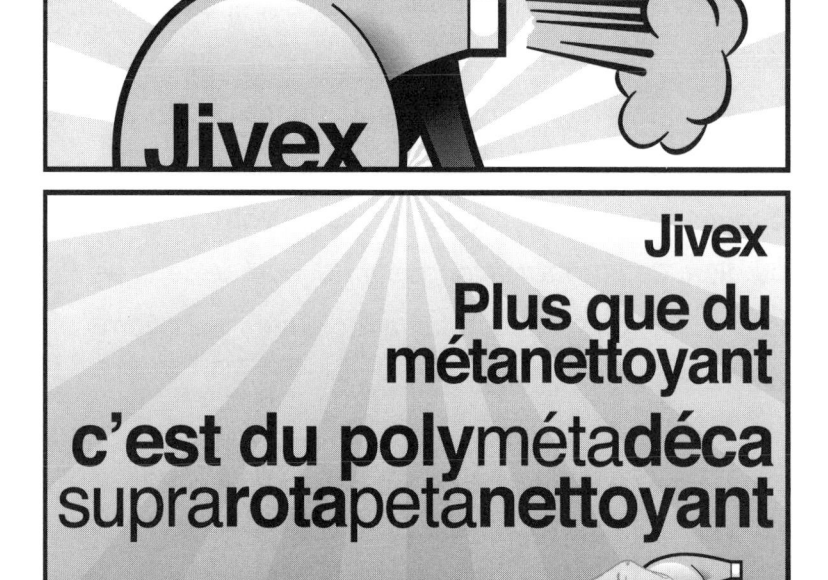

Chapitre

Ce matin-là, je devais faire un exposé oral dans mon cours de carrières expérimentales. Ne vous inquiétez pas, ce n'est pas ça, la partie effrayante de l'histoire. Sauf pour Guili Kao. Il fallait présenter le métier d'un de nos parents, et son père et sa mère sont analystes dans un laboratoire sanitaire. Quand vous expliquez à toute la classe que votre maman et votre papa étudient des crottes à longueur de journée, je vous jure qu'on vous respecte autant qu'une vieille gomme écrasée sur le trottoir.

Pour ma part, je sais très bien comment me faire apprécier de mes camarades :
— Ma mère travaille à l'Institut de recherche en télépathie. Elle tente d'améliorer les outils de

communication par la pensée. Comme vous le savez, le cerveau peut avoir plusieurs idées en même temps. Alors, quand une machine tente de lire dans la tête des gens, ça donne des résultats très drôles.

J'ai fait jouer l'enregistrement d'un homme qui exprimait télépathiquement son amour pour sa femme, mais qui en même temps songeait à son foulard égaré.

Depuis le jour de notre rencontre, le foulard est peut-être sous le siège de la voiture. Nous sommes désormais inséparables. Quand nous serons vieux, le foulard prendra soin de nous. Elle prépare de délicieux gâteaux en laine synthétique bleue.
Où est-il ? Au plus profond de mon cœur...

J'ai présenté plusieurs autres exemples du même genre, et tout le monde se tordait de rire. Sauf madame Bourdim, la professeure.

— Gustave, tu dois expliquer pourquoi ta mère a choisi ce métier. Je ne veux plus écouter tes imbécillités !

— Ce ne sont pas des imbécillités, ai-je répondu, très sérieux. Des scientifiques ont travaillé plusieurs années pour obtenir ces résultats.

Madame Bourdim bouillait de colère.

— Va à ta place ! Je ne veux plus t'entendre !

Je crois que cet incident a provoqué le début de mon aventure. Je soupçonne ma professeure de s'être vengée lors du travail suivant.

— Nous allons tirer les noms au sort, a-t-elle annoncé après les exposés. Ceux qui seront pigés en premier pourront choisir l'entreprise dans laquelle ils feront leur stage. Comme vous arrivez toujours à tricher, j'ai inventé une nouvelle technique parfaitement infaillible : j'écrirai vos noms sur des papiers et je les pigerai dans un chapeau !

— *Nooooon!* a gémi toute la classe en chœur. D'habitude, les professeurs utilisent leur vieux biordinateur pour les tirages au sort. La plupart des élèves réussissent à pirater le système, alors tout le monde choisit son équipe et son travail. Évidemment, les étudiants honnêtes se retrouvent avec les tâches les plus pénibles. Cela prouve une chose : l'école nous encourage à tricher !

Madame Bourdim a pigé mon ami Arthur en premier. Il n'a pas hésité à choisir la boutique cybernétique du quartier, où il passe la moitié de son temps de toute façon, car il a toujours son biordi sur la main.

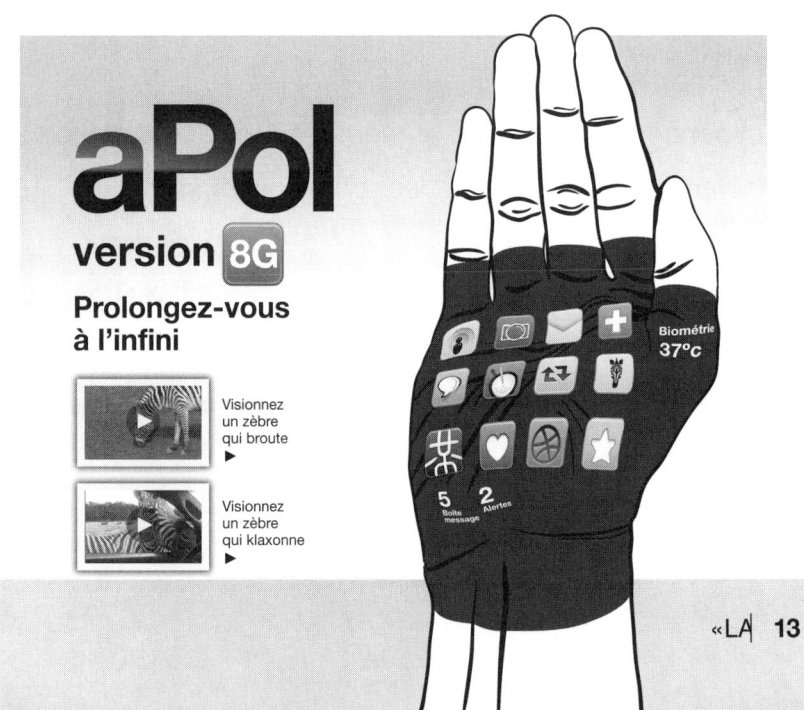

Tout de suite après, le nom d'Élixe est sorti du chapeau. Mon amie a sauté de joie en sélectionnant l'entreprise qui fabrique le truc le plus extraordinaire, le plus fascinant, le plus étonnant qu'on puisse trouver en 2097 : des tomates !

Chaque année, mon père achète deux tomates pour mon anniversaire. Une pour moi, une pour lui. Elles sont délicieuses, mais elles coûtent tellement cher ! Il paraît qu'autrefois elles poussaient dans la cour des gens…

J'espérais avoir autant de chance que mes amis. Mais madame Bourdim a pigé mon nom en dernier ! Les vingt-cinq élèves de la classe, les trois cyberélèves de la Lune et même le robot-crevette-savante de Mars ont fait leur choix avant moi !

Quand mon nom est enfin sorti, il ne restait qu'une entreprise sur la liste.

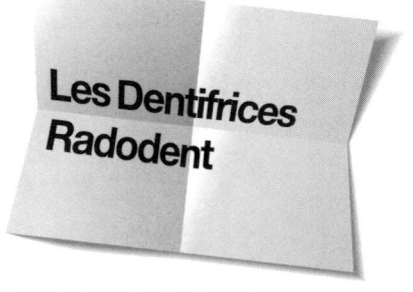

Les Dentifrices Radodent

J'ai senti le plafond s'effondrer sur ma tête. Je me suis mis à trembler en imaginant ces heures infernales à écouter des explications sur la fabrication du dentifrice, son emballage, sa distribution et sa personnalité (tant qu'à y être).

À ce moment-là, j'aurais préféré souper chez le directeur de l'école que de me rendre dans cette entreprise. J'étais convaincu que madame Bourdim avait fait exprès de me piger en dernier. Je voulais la voir avaler son chapeau.

Mais maintenant que je sais comment les choses ont tourné, je serais prêt à passer mes vacances d'été chez le directeur pour revivre une telle histoire.

Chapitre

2

Après l'école, j'avais une répétition avec mon groupe de musique xank, les Einstein Sauce Teriyaki. Il n'y a rien de meilleur que le xank. Je vous souhaite de vivre assez vieux pour en entendre un jour.

D'ailleurs, je ne comprends pas pourquoi le cours de carrières expérimentales ne nous envoie pas faire de stage avec des vedettes de la musique. Donner des concerts, écrire des chansons, voyager, rencontrer plein de filles déjà amoureuses de moi, j'estime que ce serait une excellente façon de gagner ma vie.

Nos répétitions ont lieu tous les lundis et jeudis. Élixe joue des percussions sur un généragroove. Avec son biordi, Arthur parcourt le cyberespace pour trouver toutes sortes de sons bizarres, comme le craquement d'un nez frappé par une rondelle de hockey. Ensuite, il les transforme en notes de musique. Moi, je joue de la magnétobasse et je chante. En tout cas, j'essaie de chanter. Ma mère dit que je hurle, son petit ami Mehran, que je grogne, et mon père s'écrie :

QUI A LAISSÉ ENTRER UN **COCHON-PIEUVRE** DANS LA MAISON ?

Ouais, c'est un comique, mon père.

Toutefois, il nous manque l'ingrédient le plus important de la musique xank : la harpe ! Chaque fois qu'un joueur de harpe se joint au groupe, soit il nous abandonne pour se consacrer à ses études, soit il est trop mauvais. J'imagine qu'à votre époque tout le monde ou presque joue de la harpe, puisque c'est un vieil instrument…

Pour l'instant, on utilise une sécheuse à vêtements. Oui, une sécheuse. Il s'agit d'un tout nouveau modèle.

Son silencieux intelligent transforme le bruit du moteur en une mélodie interprétée par l'instrument de votre choix. Si vous voulez écouter votre chanteur préféré, aucun problème.

La sécheuse
StarSec
3 000

Vous lui demanderez son autographe

Maintenant avec puce-système Z32X tricœur haute performance à faible consommation avec processeur graphique quadricœur, conçue sur mesure par Zèbre

Z32X

Le virtuose intégré de la sécheuse est capable de composer un accompagnement pour toute musique audible dans la même pièce. C'est ainsi que la sécheuse peut jouer de la harpe sur nos morceaux.

L'ennui est que, si la brassée est sèche, la machine s'arrête. On doit donc la remplir de vêtements mouillés toutes les vingt minutes. En répétition, ce n'est pas grave. Mais que fera-t-on une fois sur une scène ? Avez-vous déjà vu un groupe faire son lavage en plein concert ?

***

Plus tard dans la soirée, mon père, comme d'habitude, m'a obligé à regarder les nouvelles avec lui sur le module biomédia du salon. Normalement, je fais semblant d'y prêter attention et je compose des paroles de chanson dans ma tête. Mais par un hasard étrange, on présentait un reportage portant sur l'usine Radodent.

Jérôme Radodent a annoncé ce matin la vente de sa célèbre usine de dentifrice aux frères Darashpieh, trois riches financiers bangladais. L'homme d'affaires prend sa retraite après plus de quatre-vingts ans au poste de président. Les nouveaux propriétaires assureront la direction de l'entreprise depuis leurs bureaux du Bangladesh.

À la surprise générale, le montant intégral de la vente sera versé à des organismes de charité. Rappelons que Jérôme Radodent avait fondé l'entreprise en 2014 avec ses économies personnelles.

Les deux parties doivent se rencontrer avec leurs avocats d'ici une semaine afin de régler les derniers détails de l'entente et de conclure la vente de l'usine, dont la valeur est estimée à huit milliards de dollars.

Incroyable! Le jour où j'apprends que je dois me rendre chez les Dentifrices Radodent, on en parle aux informations! « Mais… une minute… me suis-je dit. Si l'usine est vendue, c'est une raison suffisante pour annuler mon stage! Les gens sont sans doute occupés là-bas, ils n'ont pas de temps à perdre avec le travail scolaire d'un étudiant! Et je ne voudrais surtout pas les déranger… »

J'avais un plan. D'abord, j'expliquerais le problème à madame Bourdim. Ensuite, je lui proposerais une solution : aller faire mon stage avec un groupe de musique xank!

Elle serait forcée d'accepter, non?

Xank pour toujours	3.37	Xank all stars
Xank Xank Xank	2.20	Gladis X
Be bop Xank	2.21	Elvis Xank
DnB Xank	3.25	OreilleFinie

Chapitre

— Pas question! a tranché madame Bourdim quand je lui ai expliqué mon plan. J'ai déjà organisé tes rendez-vous à l'usine. Il est trop tard pour tout chambouler. En plus, ce ne serait pas juste pour les autres élèves.

Ce qui m'énervait le plus, c'est que cette visite à l'usine tombait un jeudi. Je suis censé avoir une répétition avec les Einstein Sauce Teriyaki, moi, le jeudi! Voilà une nouvelle preuve que l'école nuit à ma carrière professionnelle.

Le lendemain, vers dix-huit heures, je me suis donc présenté chez les Dentifrices Radodent. Malgré la vente imminente de l'entreprise, monsieur Jérôme

Radodent lui-même allait prendre le temps de m'accompagner tout au long de mon stage.

Parfaitement cubique et entièrement grise, la bâtisse était si terne que je commençais déjà à bâiller, juste en la regardant. La porte, grise aussi, s'est ouverte à mon arrivée.

D'après les consignes de madame Bourdim, je devais m'adresser au réceptionniste, qui me dirigerait vers le bureau du président. Sauf qu'il n'y avait personne à la réception. Ni ailleurs dans l'entrée.

— Bonjour! ai-je dit assez fort pour qu'on m'entende jusqu'au bout d'un corridor au fond du hall.

Soudain, un homme chauve s'est levé derrière le comptoir. Il portait des lunettes infrascopiques, qui permettent de visionner une vingtaine d'écrans en même temps. Il avait l'air surpris et mécontent.

— Qu'est-ce que tu veux? a-t-il grogné.

— Bonjour, j'ai rendez-vous avec monsieur Radodent.

— Monsieur Radodent ne veut pas être dérangé!
a aboyé l'homme.

— Mais ma professeure insiste pour que je le dérange.

— Il y a certainement une erreur.

— Je crois que non… ai-je répliqué.

J'ai affiché sur mon biordi le document préparé par madame Bourdim. Le réceptionniste a enlevé ses lunettes pour valider l'information.

— Bon, tu as raison, a-t-il admis, visiblement contrarié. Vas-y, mais dépêche-toi. Troisième étage, au bout du corridor, la porte brune.

L'homme est aussitôt retourné s'étendre sous le bureau. Bizarre… Mais j'avoue que si un réceptionniste aussi grognon travaillait pour moi, je lui demanderais de rester caché.

Je me suis dirigé vers l'ascenseur.

— Choisissez votre destination, a ordonné une voix quand j'y suis entré.

— Le bureau de monsieur Radodent.

L'ascenseur n'a pas bougé. J'ai dit plus fort :

— Le bureau de monsieur Radodent !

— Choisissez votre destination, a répété l'ascenseur.

J'allais me fâcher quand j'ai aperçu une série de boutons numérotés. J'avais vu ça dans *Le MP3 du bonheur,* un film dont l'action se déroule en 2010. Il fallait appuyer sur le bouton de l'étage ! J'avais oublié que cette usine avait plus de quatre-vingts ans…

J'ai enfoncé le bouton numéro trois, amusé.

— Choisissez votre destination.

J'en avais assez. Aussi bien monter à pied.

Je suis sorti et j'ai poussé la porte de la cage d'escalier, juste à côté. Une mallette noire traînait au pied des marches. J'ai pensé l'apporter à la réception, sauf que je n'avais aucune envie de reparler au bœuf enragé qui m'avait accueilli.

De toute façon, je n'étais pas là pour m'occuper du ménage, mais pour m'ennuyer en parlant dentifrice avec le vieux Jérôme Radodent.

Ce n'est pas tout à fait ce qui s'est produit.

Chapitre

La porte de bureau de monsieur Radodent était entrouverte. Aucun bruit ne s'échappait de la pièce. J'ai cogné doucement. Pas de réponse. J'ai poussé un peu la porte, qui a grincé en révélant une vaste pièce sombre. Seuls les rayons des lampadaires extérieurs l'éclairaient à travers une grande baie vitrée.

Je ne voyais personne. Monsieur Radodent se cachait-il sous son bureau ? Est-ce que tout le monde travaillait par terre dans cette compagnie ?
— Il y a quelqu'un ? ai-je demandé. Je suis Gustave, je viens pour le stage…

Silence. Je me suis avancé un peu. Aucune trace de vie humaine ou androïde. Je me suis rendu jusqu'au grand bureau du président. J'ai jeté un coup d'œil derrière, au cas où. Personne non plus.

J'étais face à la baie vitrée. Pendant un instant, je me suis senti comme un milliardaire qui contemple la ville du haut d'un gratte-ciel. Mais du troisième étage, il n'y avait pas grand-chose à contempler, hormis l'enseigne du restaurant voisin.

restaurant

Brochette de végébactéries Sissi

89 $

PRÉPARÉ SOUS VOS YEUX

Super Duo

+10 $
Ajoutez un dessert au végécyanure

SUR PLACE OU À EMPORTER

Soudain, j'ai entendu une voix, une sorte de murmure.

— Ici… jeune homme… Par ici…

J'ai regardé autour de moi sans rien apercevoir. Impossible de savoir d'où provenait ce chuchotement inquiétant.

— Par ici… Approche-toi…

J'avais de plus en plus peur. Tout était si étrange dans cette entreprise. Un réceptionniste tapi derrière son bureau, un ascenseur en panne, une valise oubliée dans l'escalier, une voix sortie de nulle part…

Et quoi ensuite? Un tube de dentifrice carnivore?

IL VOUS DÉVORERA
À BELLES DENTS

Dentif

Approuvé par
les dentistes zébrés · fluorure antigravitionnel

LES PRODUCTIONS ZÈBRE PRÉSENTENT
UN FILM QUENTIN COTÉ-FOURNIER

DENTIFROUSSE
IV

LES FILMS ZÈBRE ET LES DENTIFRICE ZÈBRÉS PRÉSENTENT UN FILM EN ASSICIATION AVEC BAYARD
ELIAS MOLAIRE ET RICHARD CANINE MUSIQUE DE AVY PROTHÈSE CO PRODUCTEUR MICHEAL PALETTE
LIZ MENTHEFRAICHE PHOTO GRAPHIE VICKI PATADENT

ZÈBRE 18+ LES DENTIFRICE ZÉBRÉS

— Par ici… Pas de bruit… a murmuré la voix.

Cela venait d'en haut. J'ai levé la tête et j'ai remarqué un carré de faible lumière. Une trappe était ouverte au plafond.

— Oui… par ici… Viens…

Une silhouette humaine se découpait sur la pénombre. J'essayais de distinguer un visage quand, tout à coup, j'ai failli me faire assommer. Une échelle venait de tomber de la trappe.

— Viens… Monte…

Chapitre

Avant d'obéir à une voix émanant d'un plafond, je devais déterminer une chose. Qu'est-ce qui m'effrayait le plus ? Grimper à l'échelle ? Ou la réaction de madame Bourdim quand je lui expliquerais que je n'avais pas rempli mon premier rapport de stage ? Si je ne trouvais pas une meilleure excuse que : « Je me suis enfui de l'usine de dentifrice parce que j'avais trop peur », mieux valait affronter la trappe que madame Bourdim.

J'ai agrippé l'échelle et je me suis mis à y monter. Le plafond était très haut. Combien de mes deux cent six os résisteraient à une chute de cette hauteur ? Sept ? Huit ?

À mi-chemin, un barreau a craqué sous mon pied, me jetant presque dans le vide.

— Ne t'en fais pas! a dit la voix. Le bois est traité par résilience moléculaire! Il va se réparer.

Aussitôt, le barreau s'est ressoudé de lui-même.

Rendu en haut, j'ai perçu une faible lueur qui vacillait en projetant des ombres difformes. J'ai passé la tête dans la trappe. J'ai alors découvert ce qui produisait l'étrange lumière. J'avais déjà vu ça quelque part. C'était… C'était…

— C'est une chandelle! a chuchoté la voix, que j'identifiais désormais comme étant celle d'un vieil homme. Il n'y a pas d'électricité ici. Quelqu'un pourrait détecter ma présence en consultant la mémoire des circuits. À part toi et moi, seul Mobo, le concierge, connaît cet endroit.

Ainsi, je venais d'entrer dans une pièce ultrasecrète.

De plus en plus invraisemblable… En face de moi,
je voyais une forme humaine, toute frêle et courbée,
assise sur une chaise.

— Je suis Jérôme Radodent, a dit le vieil homme.
Tu es Gustave?

— Euh… oui. Je… je… pour le stage, ai-je bafouillé,
confus.

J'ai entendu un claquement sourd derrière moi. La
trappe s'était refermée. À mesure que mes yeux
s'habituaient à l'obscurité, je discernais de mieux en
mieux les traits du vieillard. Il avait au moins cent dix
ou cent vingt ans. De nombreuses rides crevassaient
son visage encadré de longs cheveux blancs. Avec
son énorme grain de beauté sur la joue gauche, il ne
lui manquait qu'un nez pointu pour ressembler à une
sorcière.

— Le stage, bien sûr, a dit Radodent d'un ton
mystérieux. Qu'est-ce que tu veux savoir?

— Eh bien, je dois passer dix heures dans votre usine
afin de comprendre le rôle des gens qui
y travaillent.

— Hum! a soupiré Radodent, songeur. Dix heures...

Puis il a éclaté de rire :
— Dix heures! Ha! ha! ha! Comme tu es drôle,
    mon garçon!

Merci, mais je n'ai pas de mérite.
C'est un talent naturel.

— Dix heures ne suffisent pas pour comprendre le
    rôle des employés des Dentifrices Radodent! a-t-il
    ajouté. Même quinze ans ne suffiraient pas! Tu sais
    combien de temps il m'a fallu?
— Euh...
— Cinquante-deux secondes! s'est-il exclamé.

Cinquante-deux secondes? Ou plus de quinze ans?
Je ne comprenais rien à ce que Radodent racontait,
mais je me doutais d'une chose : il n'avait pas toute
sa tête. Et être enfermé dans un grenier avec un
fou, même faible et décrépit, me semblait une très
mauvaise idée.

— On ne pourrait pas sortir d'ici ? ai-je suggéré. Il fait un peu sombre. J'ai du mal à me concentrer.

— Non ! Ils pourraient nous surprendre.

— Hein ? Qui, « ils » ?

— Tu verras…

Il fallait le convaincre de me laisser sortir. Comment discuter avec un vieillard cinglé ? Peut-être en jouant le même jeu que lui…

— Vous savez, ai-je dit, on serait plus en sécurité dans votre bureau. Je sens qu'on nous surveille ici…

— Bien sûr qu'on nous surveille. Regarde derrière toi.

Je me suis retourné en un éclair. Mais il n'y avait personne. Seulement une étagère dont les tablettes étaient remplies de petites figurines. Des jouets.

— Je te présente Dandy Dentique, a lancé fièrement
   Radodent. Tu le connais sûrement déjà.

Malheureusement, oui, je le connaissais. Dandy
Dentique est la mascotte des Dentifrices Radodent.
Cette créature hideuse se promène dans les écoles en
vantant les bienfaits de l'hygiène dentaire.

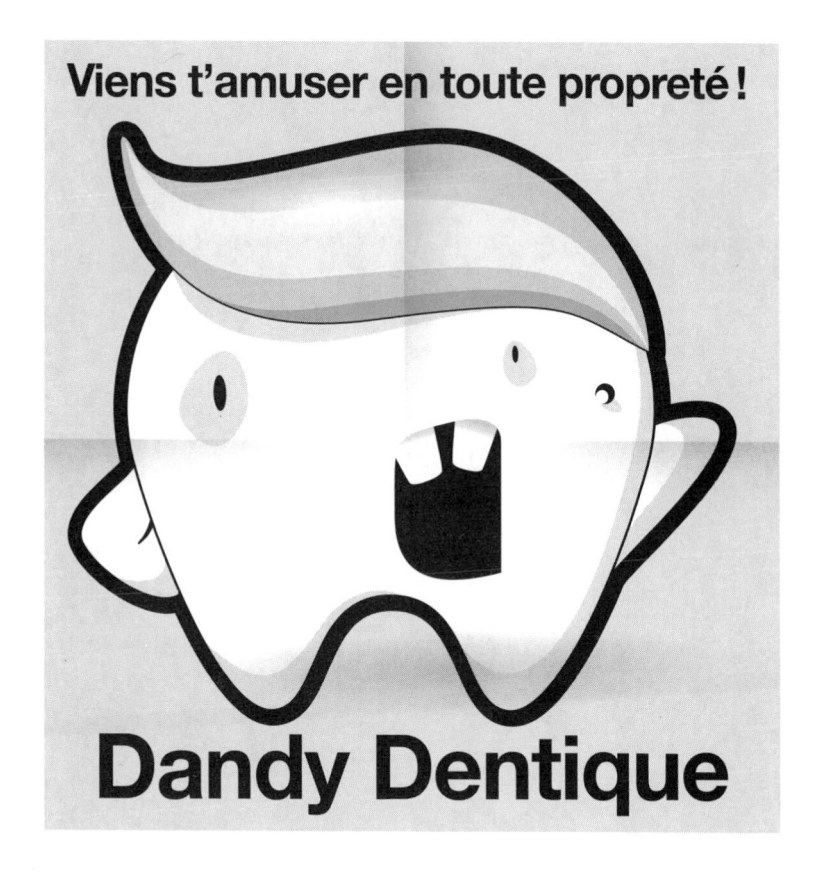

J'ai toujours eu envie de prendre sa grosse tête en forme de dent et de la jeter du haut d'un train volant.

— Tu as devant toi les quarante versions de Dandy Dentique. Tous les deux ans, il faut changer un peu son allure, pour qu'il demeure *cool* et actuel.
— Bien sûr…

Radodent disait « *cool* », comme mon arrière-grand-père, qui emploie aussi « *nice* », « trop *best* » et « sur la coche ». Tout ça, ce sont des expressions débiles et dépassées. Maintenant, on dit « coulant », parce que, quand ça coule, ça va bien. Quand mon arrière-grand-père m'entend, il s'énerve et me demande ce que c'est, cette expression bizarre. Mais moi, je vous le jure, « coulant » c'est mieux que « *cool* », « sur la coche » et tout le reste.

— La prospérité d'une entreprise, a poursuivi le vieil homme, dépend de plusieurs décisions cruciales. Dandy Dentique les prend toujours avec un flair époustouflant.

C'était donc la mascotte, et non le président, qui dirigeait la compagnie ? Cela ne me dérangeait pas d'interroger Dandy Dentique pour mon rapport de stage, mais est-ce que madame Bourdim accepterait une entrevue avec une grosse dent en plastique ?

Sans blague, il était inutile de tenter d'obtenir de l'information pour mon cours. Radodent était un grand homme d'affaires, mais le temps lui avait ramolli les neurones. Passé cent dix ans, un cerveau, ça fonctionne mal. Mon arrière-arrière-grand-père, à cet âge, passait son temps à se raser la tête pour manger ses cheveux.

Afin d'en avoir le cœur net, j'allais mettre Radodent à l'épreuve.

— Qu'est-ce qu'il fait d'autre, Dandy Dentique ? Soupe-t-il dans les grands restaurants avec ses amis milliardaires ?

Le vieillard s'est tourné vers moi, tandis que la chandelle éclairait lugubrement son visage.

— Bien sûr, mon garçon. Chaque semaine.

Coulant...

Chapitre

Radodent, qui ne bougeait plus, s'est mis à cligner des yeux comme s'il avait une crampe au visage.

— Où en étais-je? a-t-il dit. Ah oui! Dandy Dentique…

Le vieil homme s'est approché des figurines et en a effleuré quelques-unes du bout du doigt.

— Ce petit bonhomme travaille ici depuis l'ouverture de l'entreprise. Il en a connu la fondation, les premiers succès, la prospérité… Il est le témoin du temps qui passe. C'est pour cela qu'il décide de tout. Lui seul sait ce qui est bon pour l'avenir… Imagines-tu l'avenir, parfois, Gustave?

Pour l'instant, j'imaginais l'arrivée d'une ambulance qui amènerait Radodent jusqu'à l'asile.

— Malheureusement, a enchaîné l'homme d'affaires,
   sa dernière décision ne plaît pas à tout le monde…

Radodent a pris doucement une figurine dans ses
mains, comme s'il tenait un petit animal blessé.
Des larmes coulaient sur ses joues.
— Des gens veulent briser mes jouets! a-t-il dit
   en sanglotant.

Le vieillard s'est remis à cligner des yeux. Essayait-il
de refouler ses larmes? Ou la démence lui donnait-elle
des tics nerveux?
— Euh… on pourrait… les réparer? ai-je suggéré.
— Non! a tranché Radodent. Tu ne comprends pas!
   Ils veulent les casser pour toujours!
— Mais qui va les briser, s'ils restent ici? Vous avez dit
   que seul Mobo, le concierge, connaît cet endroit.
   C'est lui qui veut les détruire?
— Non. Jamais. Mobo travaille avec nous depuis
   l'ouverture de l'usine. Je le considère lui-même
   comme un Dandy Dentique.

Absolument rien de sensé ne sortait de la bouche du vieillard. Pas question de poursuivre cette conversation avec un désaxé plus longtemps.

— Je suis désolé, mais je dois rentrer, ai-je dit. On m'attend pour le souper.

— D'accord. Merci d'être venu.

Radodent a sifflé, et la trappe s'est rouverte en laissant glisser l'échelle. Bizarre. Je m'étais attendu à ce qu'il me supplie de ne pas partir.

— N'oublie pas de préparer ta valise, a-t-il ajouté.

— Hein?

— Quand on part, il faut apporter des bagages...

Le vieillard m'a fait un clin d'œil. Encore un tic lié à son délire?

— Euh... d'accord... ai-je répondu.

— Descends par l'escalier, l'ascenseur n'est pas réparé.

Autre clin d'œil. Cette fois, j'ai compris. La valise dans la cage d'escalier : Radodent voulait que je la prenne!

— D'accord, merci, ai-je dit.

— À l'aéroport, a-t-il poursuivi, remets-la directement aux douaniers. Je tiens à ce qu'ils inspectent à fond les bagages.

Là, je ne comprenais plus. Radodent, lui, ne cessait de cligner des yeux. Me remettait-il une bombe ? Sa fortune ? Comme il allait encaisser huit milliards de dollars pour la vente de sa compagnie, j'étais prêt à courir le risque.

Quelques secondes plus tard, je quittais l'usine avec la mallette.

Chapitre

Quand je suis rentré chez moi, une autre surprise
m'attendait.

Mon père travaille dans la décoration intérieure. Il
apporte toutes sortes de bibelots à la maison. Ce soir-
là, il avait décidé d'installer la dernière décoration à
la mode au sous-sol, ma pièce à moi, là où je répète
avec mon groupe de musique. Et cette décoration,
c'était une vache.

— Je crois qu'elle va nous déranger, papa…
— Mais non ! Un peu de végétation, ça vous fera du
   bien !
— C'est un animal.
— Elle est dans un pot, non ?

La pauvre vache, debout, les pattes arrière plantées dans la terre, a subitement tressailli et poussé un petit gazouillement.

— Tu vois, Gustave, elle est d'accord.

— Mais… elle n'est pas censée dire : « Meuh ! » ?

— Les meuglements agressaient les clients. On a modifié son cri. C'est plus délicat, non ?

J'ai haussé les épaules.

— N'oublie pas de l'arroser, a ordonné mon père en remontant l'escalier. Ça coûte très cher, une vache.

En plus, j'en étais responsable ! J'aime tellement les responsabilités. Surtout les responsabilités comme entretenir une décoration débile. Il aurait été temps d'annoncer quelque chose à mon père.

Papa, regarde-moi.

Qu'y a-t-il, mon fils ?

Tu m'effraies...

Je suis un jeune homme de quatorze ans.

Quoi ? Oh ! Mon Dieu !

Je ne suis pas une vieille dame à la retraite.

Seigneur ! Mais tous ces bibelots, ces rideaux fleuris, ces vaches que je t'offrais ! Tu ne les aimais pas ?

Je faisais semblant, pour ne pas te blesser.

NON !

Quelle journée épouvantable! D'abord rater ma répétition pour discuter avec un vieillard fou, puis passer le reste de la soirée avec une vache dans un pot!

— Tu sais jouer de la musique? ai-je demandé à la plante-animal.

Elle m'a répondu par un pet. Je n'ai pas insisté.

Avec tous ces ennuis, j'étais en train d'oublier la valise de Radodent. Je ne l'avais pas encore ouverte. J'ai fait sauter la première serrure, puis la deuxième...

Chapitre

Le lendemain, à l'école, au moins une personne avait apprécié son stage.

— J'ai vu des centaines de tomates! racontait Élixe. Je croyais qu'on les fabriquait par synthèse moléculaire, comme la plupart des aliments, mais non! Elles grandissent dans des pots, de façon naturelle!

— Mon père fait pousser des vaches, ai-je soupiré. Ce n'est pas naturel. D'ailleurs, il y en a une dans notre local de répétition.

Odia s'est mêlée à la conversation.

— *Cool!* Tu vas nous la montrer?

Eh voilà, tout le monde recommençait à dire : « *cool* » !
Odia, qui avait prononcé cette antiquité, dînait avec
nous depuis trois jours. Élixe et elle étaient devenues
amies dans leur cours d'architecture virtuelle.

— Je doute que tu aies envie de voir cette horrible
   vache mutante, ai-je répondu.

Je ne savais pas si j'étais heureux qu'Odia fasse
partie de mon cercle d'amis. Avec ses perçages,
ses tatouages, sa passion pour la musique rock, rap
et hip-hop, elle était trop vieux jeu à mon goût, trop
bonne petite fille parfaite. Vivre comme en 2015, ça
devrait être réservé aux androïdes dans les musées.

— Et ton stage ? m'a demandé Élixe.

J'ai raconté les événements délirants de la veille. Mon
récit a vraiment captivé mes amis. Un peu plus et ils
perdaient la vue à force de ne pas cligner des yeux.
— Qu'est-ce qu'il y avait dans la valise ? a voulu
   savoir Arthur.

Le moment était venu de révéler le terrible secret.

— Du dentifrice.

La conclusion de mon aventure a causé une sérieuse déception. J'aurais aimé répondre : « Des armes nucléaires ! » ou « Le dentier de Christophe Colomb ! » Mais la mallette contenait seulement dix tubes de dentifrice à saveur de framboise.

— J'ai hâte de connaître la suite, a dit Odia.
Quand retournes-tu à l'usine ?

J'ai consulté le calendrier préparé par madame Bourdim. Je devais y aller le soir même ! Comme si je n'avais rien de mieux à faire le vendredi après l'école !

La sonnerie annonçant le décompte de cinq minutes avant le début des cours a provoqué le mouvement habituel. Odia nous a quittés. Elle avait choisi le cours d'écologie appliquée au lieu de la géographie des villes souterraines, comme nous.

— Qu'est-ce que tu penses d'elle ? a demandé Élixe
à Arthur.

Ah non ! Élixe allait tenter de nous convaincre
d'accepter définitivement Odia parmi nous ! J'espérais
qu'Arthur ne se gênerait pas pour dire qu'il la trouvait
moche et ennuyeuse.
— Euh… elle est gentille, a bredouillé Arthur en
haussant les épaules.

Élixe s'est tournée vers moi :
— Et toi ?

Bon. J'allais devoir m'en charger.
— Euh… elle est gentille, ai-je marmonné
en haussant les épaules.
— Je suis contente que vous l'aimiez bien ! a continué
Élixe. Vous savez qu'elle joue de la guitare depuis
qu'elle a cinq ans ? En plus, elle a commencé à
suivre des cours de harpe le mois dernier ! Si elle
répète avec nous, je crois qu'elle pourrait un jour
remplacer notre sécheuse ! Pour l'instant, elle

aimerait ajouter de la guitare dans nos chansons, jusqu'à ce qu'elle maîtrise mieux la harpe…

Catastrophe! C'était pire que ce que je croyais! Odia voulait se joindre aux Einstein Sauce Teriyaki. Il fallait réagir.
— Nos vêtements ne sentiront plus aussi bon!
ai-je protesté.

Élixe a trouvé mon argument aussi intelligent qu'un pot de moutarde. Comme les cours débutaient, nous n'avons pas pu continuer la discussion.

À la fin de la journée, Élixe m'a demandé si j'avais réfléchi à son idée. J'ai compris qu'elle tenterait de me convaincre jusqu'au moment où je dirais oui, même si je refusais deux cents fois avant.
— On verra, ai-je répondu.

Je ne pouvais pas parler plus longtemps. Le tramway aérien menant à l'usine Radodent m'attendait.

***

Dans le hall, le réceptionniste n'était ni debout ni accroupi derrière son comptoir. Il était allongé sur le bureau, en train de se faire arracher la tête par deux hommes en noir.

— Euh… ai-je murmuré pour les effrayer.
— On peut t'aider, mon ami ? a demandé l'un d'eux en même temps qu'il extirpait une puce du nez du réceptionniste.

Le réceptionniste était donc un robot. Bizarre. Les androïdes n'ont pas besoin de lunettes infrascopiques comme celles qu'il portait la veille. De plus, la plupart d'entre eux sont programmés pour être sympathiques. Mais au point où j'en étais, l'usine aurait pu prendre la forme d'un canari géant et s'envoler que je n'aurais pas été surpris.

— Je suis ici pour un stage avec monsieur Radodent.
— Cela devra attendre.

L'homme m'a montré son poignet, où j'ai immédiatement reconnu une montre ZFX.

Cet appareil peut accéder à pratiquement toute information sur Terre et produire une décharge capable de paralyser quelqu'un ou de détruire un immeuble. J'avais devant moi deux policiers internationaux.

— Nous enquêtons sur la disparition de Jérôme Radodent, introuvable depuis hier soir.

Bon. J'avoue que j'ai été un peu surpris.

Chapitre

Alors que les policiers continuaient de refaire une beauté à l'androïde, un homme à l'air particulièrement sérieux, tout vêtu de brun, comme s'il rêvait d'être un prof de maths, est venu s'en mêler. Il semblait nerveux.

— Ça va durer longtemps encore?

— Pourquoi êtes-vous si pressé? a répondu le policier. Si vous voulez qu'on retrouve votre patron, laissez-nous travailler.

— C'est que… j'ai besoin de mon réceptionniste! Il contrôle la communication dans toute l'entreprise.

Les idées se sont bousculées dans ma tête. Si les enquêteurs consultaient la mémoire du réceptionniste, ils verraient bien que j'étais venu à l'usine. Je serais

interrogé! J'étais peut-être le dernier à avoir vu
Radodent avant sa disparition.

— Et toi, qu'est-ce que tu veux? m'a demandé
l'homme en brun.

— Je viens pour un stage…

— De quoi parles-tu? s'est-il étonné. Rentre chez toi!
Tu déranges les policiers!

— C'est vous qui nous dérangez, est intervenu l'un
d'eux. Occupez-vous de ce garçon.

— Je… je veux seulement vous aider! s'est défendu
l'homme en brun.

— Nous cachez-vous quelque chose? l'a questionné
le policier. Avez-vous des aveux à faire?

— Hein? pas du tout! Je vous l'ai déjà dit : je ne suis
au courant de rien.

— Alors nous n'avons pas besoin de vous. Occupez-
vous du jeune monsieur.

— Bon, d'accord, d'accord…

L'homme s'est présenté en affichant un sourire
forcé, comme un prof de maths qui veut avoir l'air
sympathique avec une blague de théorème.

— Perrin Moutier, vice-président et chef des opérations, a-t-il dit en me serrant la main.

— Gustave, enchanté.

— Je vais te faire visiter l'usine. Commençons par le laboratoire.

En s'éloignant des agents, Moutier ne cessait de jeter des coups d'œil inquiets dans leur direction. Il semblait avoir peur de ce qu'ils pouvaient découvrir.

Je me suis tourné vers eux à mon tour. Ils avaient remis le réceptionniste sur ses pieds. Ils l'ont fait pivoter sur lui-même pour s'assurer qu'aucun organe ne manquait. Quand j'ai vu le visage du robot, mon cœur a battu plus fort.

Ce n'était pas le bœuf enragé qui m'avait accueilli la veille. L'homme que j'avais rencontré n'était donc pas le réceptionniste.

De qui s'agissait-il ? Qu'avait-il manigancé derrière le comptoir de la réception ?

Chapitre

Je vais vous épargner les explications de Moutier
sur la fabrication et l'emballage du dentifrice. C'était
pire que la torture. J'ai eu l'impression de l'écouter
pendant des siècles. J'ai senti mes cheveux blanchir,
je pensais sortir de là avec une longue barbe de
vieillard.

Quand j'ai regardé l'heure à la fin de l'horrible
discours, j'ai constaté que le supplice n'avait duré
que quinze minutes! Moutier m'avait balancé toute
l'information en un temps record (par chance).
En réalité, il était pressé de retourner se mêler de
l'enquête.
— Allons retrouver les policiers, a-t-il lancé.

— Il faudrait peut-être que je leur parle, ai-je ajouté. J'ai vu monsieur Radodent hier soir.

Moutier a brusquement cessé d'avancer et il s'est penché vers moi, une étincelle inquiétante dans les yeux.

— Qu'est-ce que tu as vu ? m'a-t-il demandé. Raconte-moi !

— Je devrais le raconter d'abord aux policiers…

— Voyons ! Tu peux tout me dire. Je suis le vice-président.

— Oui, mais il vaut mieux que je parle à tout le monde en même temps. Je n'aurai pas à recommencer.

— Non, non, non ! À moi d'abord. Je leur répéterai tes paroles à la lettre.

— Pourquoi ? Vous ne voulez pas que je discute avec eux ?

— Avec moi ou avec eux, qu'est-ce que ça change ?

— Ce sont eux qui doivent poser les questions.

— TU VAS PARLER, OUI ?

Moutier s'était emporté. Il a vite regretté cette étrange saute d'humeur, qui ne m'encourageait aucunement à coopérer. Il s'est calmé aussi vite.

— Excuse-moi. Cette histoire me rend un peu nerveux. S'il te plaît, dis-moi ce que tu as vu.

L'insistance de Moutier était suspecte. Pas question de lui révéler quoi que ce soit.

— J'ai vu du dentifrice, ai-je répondu.

D'un pas rapide, je me suis mis à marcher vers le hall, alors que Moutier me suivait en me suppliant.

— Je t'en prie! Mon cher président a disparu! Je dois savoir…

Les policiers n'étaient plus dans le hall. J'ai passé la porte d'entrée et j'ai foncé vers la gare, presque à la course. Les supplications de Moutier ont résonné au loin pendant quelques secondes.

Pourquoi tenait-il tant à me parler seul à seul? Était-il impliqué dans la disparition de monsieur Radodent? L'avait-il kidnappé? Assassiné? Transformé en brosse à dents?

Chapitre

Le lundi suivant, après une semaine d'absence de la scène internationale, les Einstein Sauce Teriyaki étaient de nouveau réunis.

— Cui-cui! s'est enthousiasmée la vache devant ses idoles.

Élixe m'avait convaincu de donner une chance à Odia. C'était pour moi l'occasion de prouver que la chimie du groupe serait mauvaise avec cette réincarnation de mon arrière-grand-mère.

Nous avons commencé à jouer un de nos meilleurs morceaux, *Le printemps déconfit*. Odia et sa guitare ont rejoint le vacarme après le premier refrain. Nous avons tous été hyper impressionnés. On aurait dit qu'elle connaissait aussi bien la chanson que nous, et elle s'est encore mieux débrouillée pendant les trois pièces suivantes.

— Alors ? a demandé Élixe.

Je n'avais plus aucune raison de refuser Odia dans le groupe, mais je ne voulais pas céder trop facilement.

— Alors on fait une pause ? ai-je suggéré.

Pause Pub

Ce moment en dehors du temps réel.

Voici le tout nouveau
Jivex²

Plus que du
polyméta**déca**supra**rota**peta**nettoyant,**
c'est une **poly**méta**déca**
supra**rota**peta
nettoyante
boisson
énergisante !

Jivex²

Mise en garde

Zèbre santé avise les Canadiens de ne pas utiliser Jivex², provenant du lot 52234, en format de 2 mL, en raison d'une contamination bactériologique pouvant causer une infection oculaire grave. Le fabricant a initié le rappel des 3 024 unités visées. Les personnes souffrant d'immunodépression, comme celles atteintes du VIH/sida, les personnes suivant un traitement par chimiothérapie ou celles qui consomment des médicaments immunodépresseurs peuvent être plus vulnérables à l'infection. Le produit en question est utilisé pour on ne sait pas quoi au juste. Des spécialistes distribuent gratuitement des échantillons à leurs patients. Selon le fabricant, le produit a subi des tests avant sa mise en circulation et respecte tous les critères, y compris en matière de stérilité. Cependant, l'entreprise a informé Zèbre santé qu'elle rappelait le produit à titre préventif après un examen récent des contrôles en place dans l'établissement de production.

Toute personne ayant utilisé Jivex² provenant du lot en question et manifestant des symptômes d'infection oculaire tels que rougeur, enflure, écoulement, douleur, prurit, sensibilité accrue à la lumière et changement de la vision devrait consulter un médecin. Zèbre santé Canada avise les consommateurs qui ont reçu une bouteille de 2 mL de vérifier le numéro de lot de la bouteille. Le numéro se trouve habituellement sur le dessus de l'emballage extérieur ou sur la partie avant de l'étiquette apposée sur la bouteille. S'il s'agit du numéro 52234, dont l'échéance est août 2099, le consommateur doit cesser immédiatement de l'utiliser et le retourner à l'endroit où il a été reçu.

Pendant que nous buvions des rafraîchissements, Arthur a affiché les dernières actualités sur son biordi. La disparition de Radodent, que j'avais annoncée à mes amis dès mon retour chez moi vendredi soir, était à la une.

Les frères Darashpieh semblaient ennuyés de reporter l'achat de l'usine :

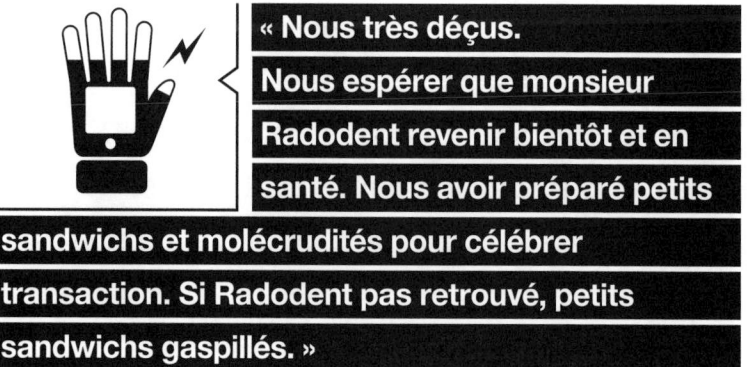

« Nous très déçus. Nous espérer que monsieur Radodent revenir bientôt et en santé. Nous avoir préparé petits sandwichs et molécrudités pour célébrer transaction. Si Radodent pas retrouvé, petits sandwichs gaspillés. »

— Je suis convaincue qu'il y a un lien entre sa disparition et la valise de dentifrice, a dit Élixe à la fin du reportage.

— Tu crois que Radodent savait qu'il allait disparaître ? Il avait préparé une réserve de dentifrice que j'ai prise par erreur ?

— Il voulait peut-être te transmettre un message…
a-t-elle suggéré.

— Quel genre de message transmet-on avec du
dentifrice? est intervenu Arthur. *Même si je
disparais, brosse-toi les dents tous les jours?*

Nous avons tous ri, puis réfléchi. Radodent avait bel et
bien insisté pour que j'emporte la valise. Mais il m'avait
semblé complètement fou… Y avait-il vraiment un
sens à tout cela?

— Devrait-on prévenir la police? a demandé Odia. Si
les agents internationaux ne t'ont pas retracé, c'est
parce qu'ils ignorent que tu es passé à l'usine jeudi
soir.

Elle avait raison. Trois jours s'étaient écoulés depuis
la disparition de Radodent. Ils auraient dû m'interroger
il y a longtemps. Mais le véritable réceptionniste n'avait
pas été témoin de ma visite chez Radodent. Sa mémoire
nasale n'avait gardé aucune trace de mon passage.

— Je ne sais pas… ai-je dit, perdu dans mes
réflexions.

Il aurait fallu parler aux autorités, puisque je
connaissais la cachette secrète de Radodent. Il était
peut-être en train de crever de faim là-dedans, ou
même déjà mort de vieillesse. Pourtant, mon instinct
me dictait de me taire. Si le vieillard se cachait, c'était
sans doute pour se protéger. Après tout, j'avais
rencontré un individu suspect à la réception, et Perrin
Moutier, le vice-président, agissait de façon bizarre.
Pourquoi n'avait-il pas avoué aux policiers que j'avais
rencontré son patron ?

Si je révélais l'existence de la trappe aux agents,
Radodent réapparaîtrait. Quelqu'un pourrait alors en
profiter pour s'en prendre à lui. Si le mal n'était pas
déjà fait…

J'ai décidé de garder le silence pour l'instant.

Je n'ai pas tardé à le regretter.

Chapitre

La nervosité me rongeait quand je suis arrivé à mon cours d'art dramatique le mardi matin. D'habitude, Arthur et moi profitons de toutes nos performances sur scène pour simuler des combats de fusil-laser. Cela donne d'excellents sujets d'impro :

Deux hommes amoureux de la même femme se battent au fusil-laser.

Un père furieux contre son fils, qui a mangé tout son chocolat, l'attaque avec un fusil-laser.

Deux vieux sages se rappellent leurs souvenirs au bord d'un lac, puis se battent au fusil-laser.

Le problème, c'est que monsieur Austerio, le professeur, déteste les fusils-lasers. Tellement qu'il m'a menacé de me faire suivre encore le cours l'année prochaine si je ne me montrais pas plus sérieux.

J'ai donc été forcé de jouer une scène de son choix : la naissance d'une rose…

Comme si incarner une fleur n'était pas assez humiliant, je devais offrir ma performance devant Judia Cassis, une fille que je trouve super-jolie. Mais je n'avais pas le choix. Je suis monté sur les planches, aussi à l'aise qu'un hippopotame sur une moto antigravité.

Je me suis mis en petite boule pour représenter la graine qui donnerait naissance à la rose. Puis je me suis relevé lentement. Étant donné que je ne voulais pas voir mes camarades de classe se moquer de moi, j'ai tourné la tête vers le mur extérieur.

J'ai alors failli tomber à la renverse et déraciner la fleur que j'étais dans mon élan. Un homme me regardait à travers la fenêtre. Le faux réceptionniste! Celui que j'avais rencontré à ma première visite à l'usine!

Hormis Jérôme Radodent et Perrin Moutier, seul cet inconnu était au courant de ma rencontre avec le vieillard. Et il m'avait retrouvé… Pourquoi? Pour m'interroger? Pour me tirer dessus avec un fusil-laser et me faire échouer mon cours d'art dramatique du même coup?

Mon cœur battait à tout rompre. J'étais figé sur place, les bras en l'air. J'ai regardé vers la classe. Monsieur Austerio fronçait les sourcils, impatient.

— Horreur, c'est la sécheresse! ai-je gémi pour expliquer mon immobilité.

Je me suis laissé choir sur le sol en râlant, comme si la rose agonisait, avant de me rouler par terre.

— Le vent m'arrache et m'emporte! ai-je crié avec désespoir.

Ce déplacement m'a permis de disparaître dans la coulisse. La classe a applaudi poliment.

— Viens, Gustave, a ordonné mon professeur. J'avais demandé la naissance d'une rose. Pas sa mort. Recommence!

Je n'avais aucune envie de sortir de mon abri. Très doucement, j'ai fait quelques pas. Juste assez pour apercevoir la fenêtre. J'étais prêt à détaler si je voyais apparaître la pointe d'une arme.

Mais il n'y avait plus personne derrière la vitre. Le faux réceptionniste avait disparu.

Chapitre

Pendant l'heure du dîner, j'ai raconté l'incident du cours d'art dramatique à mes amis. Nous avons convenu qu'une décision s'imposait. Un étranger m'avait suivi jusqu'à l'école, et nous ignorions ce qu'il me voulait. Ma vie était peut-être en danger. Une disparition, celle de Jérôme Radodent, s'était déjà produite. Dans ces conditions, il n'y avait qu'une chose à faire. Une chose raisonnable, sensée. Une chose que n'importe qui devrait faire dans une telle situation.

— Nous devons mener notre propre enquête sur cette histoire, ai-je annoncé, suscitant l'approbation d'Arthur et Odia.

Quoi ? Vous pensiez que je voulais prévenir les policiers ? Mais non… trop ennuyeux ! Élixe n'était pas d'accord, mais nous avions voté à trois contre une.

***

Trois jours plus tard, on annonçait aux nouvelles que l'enquête sur la disparition de Radodent avait très peu progressé. Les frères Darashpieh perdaient patience :

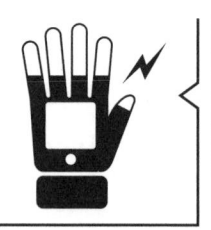

« Petits sandwichs pourris !
Molécrudités toutes ratatinées !
Radodent, si vivant, revenir ! »

De mon côté, je devais retourner chez les Dentifrices Radodent pour la suite de mon stage. C'était l'occasion d'obtenir quelques renseignements sur la disparition du vieillard. Par contre, comme un individu mystérieux me traquait, je ne me rendais pas là-bas sans inquiétude. Et, chose plus terrible encore, j'avais un travail scolaire à finir.

J'ai pris le tramway aérien jusqu'au quartier de l'usine. Peu après ma sortie du wagon, j'ai senti qu'on me suivait. J'entendais des pas feutrés derrière moi. Chaque fois que je tournais à un coin de rue, quelqu'un tournait quelques secondes après moi. Était-ce l'homme de la réception ? Voulait-il me tuer ? Revoir mon interprétation mémorable de la rose ?

J'ai continué d'avancer tout en jetant quelques coups d'œil furtifs à travers les vitres des véhicules stationnés afin de voir derrière. J'ai aperçu un jeans bleu. Un manteau de cuir. Où avais-je déjà vu cet accoutrement d'arrière-grand-mère ?

— Odia! ai-je dit en m'arrêtant.

Qu'est-ce que tu fais ici ?

— Excuse-moi, a-t-elle répondu, un peu gênée. Je ne t'ai pas effrayé ?

— Pas du tout, ai-je affirmé avec les genoux qui tremblaient encore.

— Désolée de t'avoir suivi sans te prévenir, mais je suis vraiment intriguée par cette histoire de disparition ! J'aimerais venir avec toi...

Je n'avais pas tellement envie qu'elle m'accompagne. J'aurais préféré mener l'enquête avec Arthur ou Élixe qu'avec ce vestige du passé.

— *Mouais*, pourquoi pas... ai-je répondu, aussi galant qu'un chevalier.

La porte de l'usine s'est ouverte devant nous. Au comptoir de la réception, un vieil androïde, celui que j'avais vu se faire arracher la tête, nous a accueillis.

— Bonbonbonbonbonbonjour, a-t-il dit.

Cocococomment puis-je vous aider ?

La fonction vocale du réceptionniste avait besoin d'un ajustement. Les policiers ne l'avaient peut-être pas bien remonté. Mais en tentant de répondre à sa question, j'ai réalisé que mon plan aussi avait besoin d'amélioration. Je n'avais prévu aucune stratégie pour dénicher des indices !

— Euh… je… ai-je bredouillé.

— Nous désirons parler à Mobo, le concierge, est intervenue Odia.

Son idée était bonne. Radodent avait dit que seul Mobo connaissait sa cachette. En plus, l'entrevue avec le technicien d'entretien serait utile pour le cours de carrières expérimentales. J'avais bien le droit de m'intéresser au métier de concierge, même s'ils ont presque tous été remplacés par des iguanes bioniques.

À lui seul, c'est une armée entière… Contre la saleté !

Born to laver ta vaisselle

Iguanestor

Aucun animal n'a été maltraité lors de sa manipulation génétique.

— Momomomobobobo neeeettoie actuellement la
    sasasasasalle de bains dududu deuxième,
    a répondu le robot. Preeeenezneznez lalala…

Nous n'avons pas attendu la fin de la phrase, de
peur que la nuit tombe avant que le réceptionniste
la termine.

Nous avons trouvé Mobo au deuxième, en train de
vider une corbeille à déchets dans le générateur
alimentaire (ça semble dégueulasse, mais rien ne bat
les gâteaux au fromage cuisinés par cette machine).

— Bonjour, ai-je dit gentiment. J'aimerais vous parler
    pour un projet scolaire…
— Meeouunh? a-t-il répondu, comme s'il connaissait
    mon amour des vaches.

En se retournant, Mobo, un vieil homme rondelet, a
révélé un visage tuméfié. Un pansement cachait son
œil gauche et un plâtre enveloppait sa main droite.

— Ho! a fait Odia. Vous êtes blessé!

— Aaaaah… a mugi Mobo. J'ai… euh… glissé sur
le plancher mouillé.

Mobo avait hésité, comme s'il venait d'inventer cet
incident.

J'ai commencé l'interrogatoire par quelques questions
pour le cours de carrières expérimentales, ce qui a
donné un résultat plus ou moins intéressant :

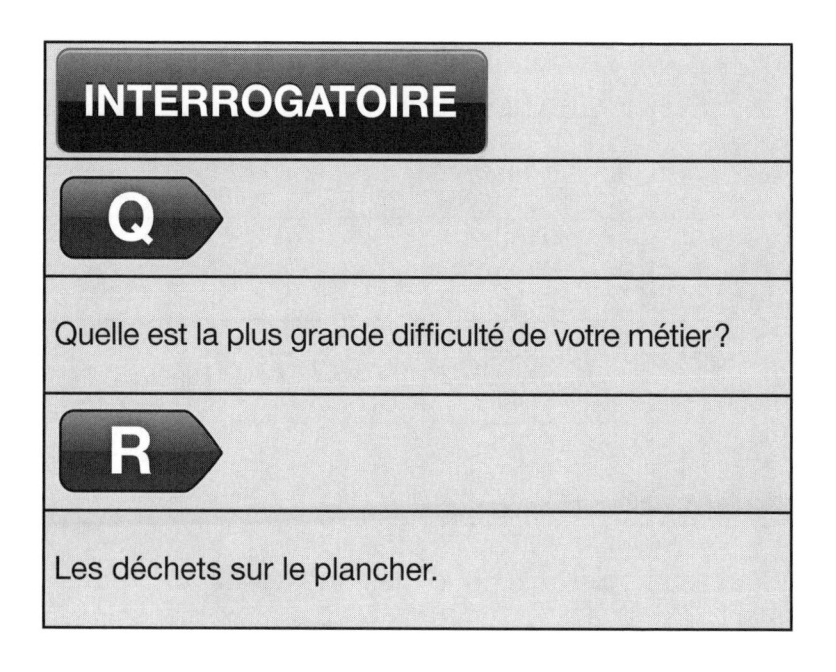

INTERROGATOIRE

Q

Quelle est la plus grande difficulté de votre métier?

R

Les déchets sur le plancher.

Quel est le plus grand plaisir ?

La pause.

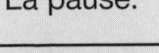

Quelle est la pire gaffe que vous ayez faite ?

Répondre à tes questions.

Si vous aviez pu choisir un autre métier,
qu'auriez-vous choisi ?

T'en as encore beaucoup, des questions ?

Heureusement, mon rapport de stage
m'importait de moins en moins.

— J'imagine que vous êtes préoccupé par la
disparition de monsieur Radodent, ai-je lancé, mine
de rien.

— Euh… c'est terrible, ouais… Nous avons travaillé
ensemble toute notre vie. Et il s'envole, comme ça !

— Croyez-vous qu'il…

Odia n'a pu terminer sa phrase. Perrin Moutier a surgi
en coupant la conversation.

— Mon petit Gustave ! Qu'est-ce que tu fais ici ?

Le vice-président n'était pas seul.

Le faux réceptionniste le suivait.

Chapitre

— Je suis content de te revoir ! a dit Moutier,
toujours d'un ton faussement sympathique
de prof de maths.

**Vous connaissez
l'histoire de
Pythagore
qui se rend chez
l'optométriste ?
Il avait un problème
de di... vision !**

— Venez, a-t-il ajouté. Il ne faut pas ralentir Mobo
dans son travail si capital…
— Mais je dois lui parler pour…
— Je vais te donner toute l'information dont tu as
besoin, m'a interrompu le vice-président. Laisse
Mobo tranquille. Il a déjà assez d'ennuis comme ça.
Le malheureux a trébuché en balayant l'escalier…
— Il vient de nous raconter qu'il a glissé sur le
plancher mouillé! s'est étonnée Odia.

Moutier et l'homme de la réception ont échangé un
regard contrarié. Mobo, qui s'était mis à balayer,
n'osait rien dire et fixait le sol.
— Qu'est-ce tu fabriques ici, toi? a demandé Moutier
à Odia. Tu ne fais pas de stage chez nous…
— C'est une passionnée du dentifrice, ai-je répondu.

Pour une raison que j'ignore, Moutier et le faux
réceptionniste n'ont pas semblé me croire.
— Voici ce que je propose, a dit le vice-président.
Je vais te donner tous les renseignements qu'il te
faut pour ton cours. En échange, tu me raconteras

ce qui est arrivé lors de ton premier passage chez les Dentifrices Radodent, le soir où notre cher président a disparu…

Moutier et l'inconnu ont échangé un regard complice.
— Venez dans mon bureau, a-t-il continué. On sera plus à l'aise…

Le vice-président a arboré un sourire fielleux. Quand un prof de maths se réjouit ainsi, c'est parce qu'il prépare un quiz-surprise sur la matière qu'il n'a pas encore expliquée. Je ne savais pas quelles étaient les intentions des deux hommes, mais si elles étaient mauvaises, mieux valait ne pas s'enfermer avec eux dans un bureau.

— Ce n'est pas la peine, ai-je répondu. J'ai toute l'information que je voulais. Au revoir !

Sans hésiter, j'ai attrapé la main d'Odia et je l'ai entraînée vers l'escalier.

— Attendez! s'est exclamé le vice-président. Je...

La porte de la cage d'escalier a claqué derrière nous. Nous avons dévalé les marches comme si un bulldozer déréglé était à nos trousses.

Quelques secondes plus tard, nous repassions devant l'androïde de la réception.

— Toutoutoutoutoutournez... àààààààà...
— Nous avons déjà parlé à Mobo, merci, ai-je lancé alors que la porte principale s'ouvrait.

Nous avons atteint la gare après deux minutes de course. Personne ne semblait nous avoir suivis.

Mais quand le tramway a pris son élan pour le décollage, j'ai cru reconnaître l'homme de la réception parmi les visages qui défilaient sur le quai.

Chapitre

Samedi est arrivé. Toutes les fins de semaine, je suis libéré de l'école, et c'est une des plus grandes joies de l'existence. Par contre, je dois aller chez ma mère et Mehran, son copain. Celui-là, il ne faut surtout pas le déranger, au risque de se faire proposer une activité plus ennuyeuse que le pire de tous les cours.

Je suis las d'entendre ta musique ! Viens regarder ce reportage sur la polyandrie métacellulaire chez les œufs de pullusienne.

Ensuite, tu pourras jouer quelques minutes.

Je retrouve aussi ma chambre d'enfant. Je l'aime bien, parce que j'y ai grandi et qu'elle est remplie de souvenirs. Mais ZingZing le lutin magicien, en hologramme géant sur le mur, n'est pas un souvenir! C'est une erreur. Il m'amusait quand j'avais cinq ans, mais je suis encore coincé avec lui maintenant que je commence à me raser. Ma mère dit qu'elle n'a pas le temps de changer le papier hologramme. Quant à Mehran, ce n'est pas la peine de le lui demander.

Ce jour-là, mon instinct m'a poussé à ouvrir mon coffre à jouets. Je me rappelais qu'un bidule valait la peine que je le ressorte. Le Thinkie-Walkie. Il s'agit d'un jouet expérimental conçu par ma mère durant ses recherches sur la télépathie. Ses deux petits émetteurs permettent de communiquer par la pensée.

Quand nous étions enfants, Arthur et moi nous sommes bien amusés avec ce gadget. Les conversations insensées provoquées par cet appareil nous faisaient rire aux larmes. Imaginez un dialogue entre deux garçons qui se prennent pour des agents secrets et qui ont envie de manger des hot-dogs pour dîner...

— Allô, agent Saucisse. Avez-vous grillé le suspect?
— Il s'échappe du barbecue! Avec un milliard de pains!
— Catastrophe! Les hot-dogs du président!
— Mettez la bombe dans le ketchup!

Lorsque la technologie sera plus avancée, les policiers se serviront sûrement du Thinkie-Walkie. Il n'est pas très difficile de savoir si quelqu'un est coupable lorsqu'on peut lire dans ses pensées... Pour l'instant, on refuse toutes les preuves obtenues par télépathie, car elles sont aussi confuses qu'un androïde qui vient de prendre un bain.

Moi, par contre, je ne suis pas policier. Rien ne m'empêchait d'utiliser le Thinkie-Walkie durant mon enquête. Cela n'éclaircirait pas toute l'affaire, mais je trouverais peut-être une piste à suivre...

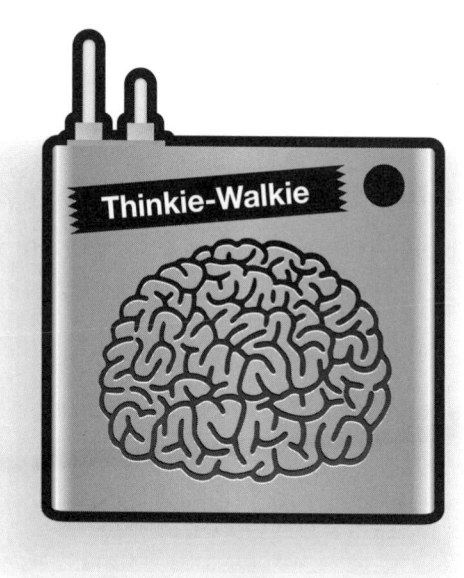

Chapitre

Durant l'après-midi, Odia, Arthur et moi nous sommes rendus chez Élixe pour réfléchir aux événements. Avec quatre cerveaux en action, nous pourrions mieux analyser l'information que nous avions obtenue. En fait, je devrais dire trois cerveaux. Arthur était absorbé par son nouveau jeu biovidéo :

EXTRÊME ULTIME FATALITÉ FINALE 28.

— Coulant ! a-t-il crié en frappant dans le vide. J'ai réussi le troisième niveau ! Je dois trouver le code pour passer au quatrième…

Heureusement, Élixe et Odia se montraient plus impliquées.

— Je suis restée réveillée jusqu'à une heure du matin pour tout démêler, a dit Élixe. J'ai retenu deux théories. Voici une fiche pour chacune.

THÉORIE A
RADODENT ENLEVÉ OU TUÉ

Suspects :
Perrin Moutier et l'inconnu de la réception

Explications :
Jérôme Radodent voulait vendre son usine et donner l'argent à des organismes de charité. Cette décision contrariait Moutier, qui a tué ou kidnappé le vieillard avec l'aide du faux réceptionniste, avant que les papiers soient signés. Comme les agresseurs craignent que Gustave ait remarqué quelque chose à l'usine, ils le poursuivent afin de l'éliminer et, possiblement, de récupérer la mystérieuse valise.

THÉORIE B
RADODENT SE CACHE

Suspects :

voir Théorie A

Explications :

Le vieil homme croyait, à tort ou à raison, qu'on voulait s'en prendre à lui. Il s'est donc tapi quelque part pour se protéger. Gustave est probablement la dernière personne à l'avoir vu. Moutier et le faux réceptionniste le traquent afin de lui arracher des renseignements.

— J'ai une troisième théorie, ai-je dit. Radodent est fou et il danse la salsa sur un radeau spatial. Tout ce qu'il m'a raconté n'avait aucun sens… Les figurines, la valise, les cinquante-deux secondes qui durent plus de quinze ans…

— Qu'est-ce que c'est que ce code ? a marmonné Arthur, tellement plongé dans son jeu qu'il ne remarquait même plus notre présence.

— Cette troisième théorie n'explique pas pourquoi on t'a suivi à l'école, a fait observer Odia. Ni pourquoi Mobo était blessé.
— Dans le cas du concierge, c'était peut-être une blague du robot-cireur, ai-je suggéré.
— Mobo est le seul à connaître le grenier secret du vieil homme, a rappelé Élixe. Et ce dernier disait qu'on voulait briser ses jouets…
— Ah! s'est énervé Arthur. Je ne parviens pas à déchiffrer le code!

Soudain, un éclair m'a traversé l'esprit.
— Arthur! Tu es un génie!
— Merci de l'encouragement…
— Ce que je veux dire, c'est que Radodent m'a parlé en utilisant un langage codé! Quand il m'a demandé de faire mes bagages, il voulait que je prenne la valise… Quand il a affirmé qu'on voulait briser ses jouets, cela signifiait sûrement autre chose…
— Oui! s'est enthousiasmée Élixe. Attendez… Si on admet que Radodent n'est pas fou, il ne croyait

pas réellement que Dandy Dentique prenait des décisions et soupait avec d'autres milliardaires. En réalité, c'est Radodent lui-même qui fait tout cela. Vous croyez que, dans son discours, Dandy Dentique, c'était lui?

Élixe a fait apparaître une image de Dandy Dentique sur son biordi. À première vue, aucun air de famille entre lui et Radodent. Mais en observant attentivement la photo, j'ai remarqué un détail révélateur.

— Regardez sa joue gauche! Le point noir! Radodent a un grain de beauté exactement au même endroit!

— Ce serait donc lui! a dit Odia. Dans ce cas, briser ses jouets, les briser pour toujours, cela signifierait peut-être lui enlever la vie…

Nous tenions une piste solide. Cependant, les cinquante-deux secondes qui duraient plus de quinze ans, tout comme l'histoire des douaniers, demeuraient un mystère. Nous ne savions pas non plus ce qu'avait magouillé le complice de Moutier lorsqu'il avait pris la place du réceptionniste.

— Je crois que je le sais, a dit Arthur qui avait abandonné son jeu. Le complice a désactivé le réceptionniste pour ne pas qu'il enregistre l'attentat contre le vieillard. Les androïdes-réceptionnistes contrôlent la communication dans toute l'usine, ce qui inclut les caméras de surveillance...

Mon ami avait probablement raison. Dans ce cas, la solution de l'énigme était un mélange des deux théories. Moutier et son complice avaient bel et bien voulu s'en prendre à monsieur Radodent, mais ce dernier l'avait découvert...

— L'a-t-il découvert à temps? est intervenue Élixe. Ou ses agresseurs ont-ils frappé en premier?

— En tout cas, ai-je dit, Radodent souhaitait que sa valise soit inspectée. Même si on n'est pas des douaniers, on devrait la fouiller à fond. Il a sans doute caché un message à l'intérieur...

Mais n'ayant pas d'inquiétude sur mon hygiène dentaire, j'avais laissé la mallette chez mon père qui était parti pour la fin de semaine. Il faudrait attendre dimanche soir pour l'examiner...

Chapitre

Quand je suis retourné au sous-sol chez mon père, je comptais bien découvrir le message du vieillard. J'ai cependant commencé par accorder un peu d'attention à la vache. Elle s'était ennuyée et poussait des gémissements de jalousie chaque fois que je m'approchais de la valise.

— Ne t'attache pas trop à moi, ai-je murmuré en flattant la bête. Je mène une enquête, et ma vie est en danger.

— Meenooun… a-t-elle soupiré avec tristesse, comme si elle m'avait compris.

— Ne fais pas cette tête. Je te promets que, partout où j'irai, mon cœur sera avec toi.

pouche pouche

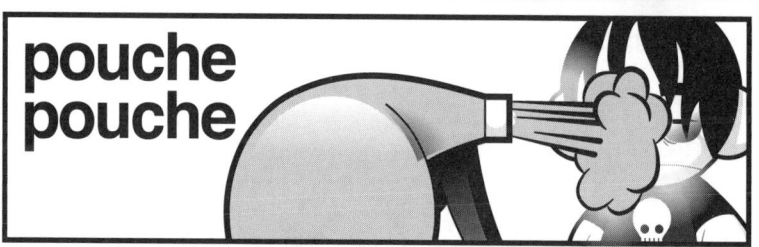

J'ai sorti les tubes de la valise. Ils étaient tous identiques. On voyait le nom « Radodent » écrit en gros et Dandy Dentique faire un clin d'œil d'un air débile.

J'ai lu attentivement tout ce qui était écrit sur chaque tube. Mon professeur de français aurait adoré apprendre que je préférais lire des étiquettes de contenants de dentifrice que les cyberfictions au programme du cours.

J'ai parcouru dix fois la passionnante liste des ingrédients sans rien découvrir. Aucun indice. Aucun message caché. Du moins, aucun que je pouvais comprendre.

Élixe, Arthur et Odia sont arrivés. Ils ont essayé de décrypter les étiquettes des tubes à leur tour, sans plus de succès.

Arthur a fouillé la valise avec le rayon-détecteur de son biordi, au cas où il y aurait eu un objet camouflé quelque part. Toujours sans résultat.

— Il reste une seule option, a dit Élixe. Il faut vider les tubes.

Je n'avais pas très envie de remplir le sous-sol de dentifrice bleu qui empeste la framboise. Nous avons commencé très doucement, en déposant quelques gouttes sur mon bureau.

— Devrait-on y goûter? a demandé Odia.

— Tu crois que Radodent m'a laissé un message qui se goûte?

— Non, mais…

— Regardez!

Quelques particules de dentifrice, de couleurs différentes, s'étaient séparées pour glisser jusqu'à un autre tube.

Tant pis pour les dégâts. Nous avons écrasé tous les tubes. Au bout d'une minute, un gros tas de gelée bleue couvrait mon espace de travail. Une excuse parfaite pour ne pas faire mon devoir de sciences moléculaires.

Au milieu de la masse bleue, on aurait juré que la vie naissait. Quelque chose était en train de se construire.

— La résilience moléculaire… ai-je murmuré en me rappelant ma rencontre avec le vieil homme.

Détruisez vos biens en toute tranquillité.

auto   maison   accesoires

Résiliomax
Solutions résilience molécualire

L'activité a cessé au bout d'une minute. J'ai plongé la main dans le dentifrice pour sortir ce qui avait pris forme.

— J'ai déjà vu ça quelque part, a dit Odia.

J'avais dans la main un petit objet rectangulaire en plastique noir qui se terminait par un bout métallique.

Nous l'avons regardé en silence, incapables d'émettre la moindre hypothèse.

Une idée m'est venue. Si Odia connaissait ce bidule, c'était sans doute vieux. Je devais interroger la personne la plus âgée possible. J'ai monté l'escalier sans attendre.

— Papa, sais-tu ce que c'est?
— Eh! où as-tu trouvé ça?
— Euh… par terre, dehors. Qu'est-ce que c'est?
— Une clé USB…

Mon père s'est mis à m'expliquer en détail à quoi servait cette chose. Comme vous savez sans doute ce qu'est une clé USB, je vais vous épargner cette scène ennuyeuse.

— Coulant, ai-je dit une fois les explications terminées. Comment je fais pour la consulter?
— Il te faut un ordinateur. L'ancêtre du biordinateur. C'est très vieux, très rare…

Comment allions-nous mettre la main sur une telle antiquité?

Chapitre

Le lendemain, après l'école, je devais visiter pour la dernière fois les Dentifrices Radodent. Si j'avais été raisonnable, je n'y serais pas allé. Non seulement une autre répétition des Einstein Sauce Teriyaki tombait à l'eau, mais en plus je ne savais pas si j'allais sortir vivant de l'usine.

— Tu mets ta vie en danger pour un homme qui, s'il n'est pas déjà mort, risque de mourir de vieillesse demain matin! a protesté Élixe. C'est ridicule!
— Je sais, ai-je répondu. Mais c'est toi qui m'encourages toujours à aider les personnes âgées…

AVERTISSEMENT!

⚠ CET ADOLESCENT
COMMENCE À EXAGÉRER.

**NE PAS IMITER,
MÊME DANS LE FUTUR ÉLOIGNÉ.**

Odia m'accompagnait, et j'avoue que cela me faisait plaisir. Je la trouvais de plus en plus sympathique. À mesure que je m'habituais à son style de l'ancien temps, je me rendais compte qu'elle n'était pas moche du tout. J'étais même prêt à l'accepter dans notre groupe xank. Mais j'allais attendre un peu, pour ne pas donner raison à Élixe trop vite.

À notre arrivée à l'usine, nous avons indiqué au réceptionniste androïde que nous désirions parler à Perrin Moutier.

— Lelelelelelelele… a annoncé la voix mécanique.

Nous avons préféré chercher son bureau nous-mêmes. Nous l'avons découvert au troisième étage.

J'ai cogné à la porte, pendant qu'Odia demeurait cachée au bout du corridor.

— Bonjour, ai-je dit quand Moutier a ouvert. Il me manque de l'information pour mon stage, alors j'accepte votre marché. Si vous répondez à mes questions, je vous raconterai ma rencontre avec monsieur Radodent.

Le coin de la bouche de Moutier s'est relevé en un petit sourire malicieux.
— Tu es très aimable, mon garçon! J'apprécie beaucoup! Viens, assieds-toi…

J'ai pris place devant lui à son bureau, puis j'ai mis la main dans ma poche droite afin de saisir le Thinkie-Walkie.

— Qu'est-ce que tu veux savoir ? a dit Moutier avec une bonne humeur de plus en plus inquiétante.

— Euh… pourriez-vous me décrire le travail des… concepteurs de bouchons ?

— D'accord. Les concepteurs de bouchons, communément appelés « bouchonneux », sont…

Heureusement, j'étais bien occupé à déposer le Thinkie-Walkie sur le sol en le laissant glisser de ma main par l'antenne. Je n'ai pas écouté les explications de Moutier, qui auraient pu me tuer d'ennui. Une fois le gadget sur le sol, je l'ai poussé du bout du pied jusque sous la chaise du vice-président.

Dans le couloir, Odia avait allumé l'autre émetteur, prête à enregistrer toutes les pensées du suspect sur son biordi.

***

Au même moment, Arthur et Élixe accomplissaient également une mission : nous procurer un ordinateur afin de consulter la clé USB.

Où trouve-t-on de vieilles machines disparues ? Des objets sortis d'une autre époque ? À quel endroit la technologie moderne n'a-t-elle pas encore fait son entrée ? La réponse est simple : à l'école !

— Oui, nous avons un ordinateur, a répondu monsieur Volodin, le professeur d'histoire. Il traîne dans le débarras depuis une éternité.
— J'aimerais l'utiliser pour mon travail pratique, a expliqué Élixe. J'ai un vieux document et j'ai besoin de le consulter...

Monsieur Volodin a presque sauté de joie.
— Fabuleux ! D'habitude, les étudiants font si peu d'efforts lors de leurs recherches. J'ai déjà reçu un travail entièrement basé sur l'émission pour enfants *Poupou le pou du Moyen-Âge...*
— Ha ! ha ! c'est... c'est ridicule, a marmonné Arthur, gêné, car il était l'auteur de ce travail douteux.
— Pouvons-nous emprunter l'ordinateur ?
a demandé Élixe.

— Non, a répondu le professeur. Il faudra l'utiliser à la
digithèque.

— Alors nous reviendrons demain avec le document,
a dit Arthur.

— Pas besoin, nous l'avons, a répliqué Élixe en sortant
la clé.

Tout excité, monsieur Volodin est parti à la course
chercher l'appareil.

— Qu'est-ce que tu fais avec ça ? a demandé Arthur.
Gustave sera en colère si on ne l'attend pas !

— Je sais. Mais Moutier et son complice sont peut-
être des assassins ! Tant qu'ils sont à l'usine,
Gustave et Odia risquent leur vie. Il ne faut pas
perdre de temps. Si cette clé contient toutes les
preuves dont nous avons besoin, inutile que nos
amis s'attardent plus longtemps dans ce repaire de
bandits. Plus vite nous résolvons l'énigme, plus vite
ils peuvent rentrer…

Chapitre

Alors que je faisais semblant d'écouter un discours sur les concepteurs de bouchons, Odia, dans le corridor, enregistrait les pensées de celui qui le prononçait.

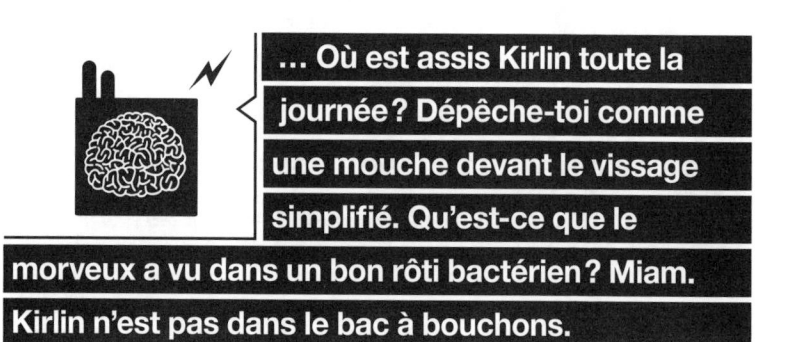

... Où est assis Kirlin toute la journée? Dépêche-toi comme une mouche devant le vissage simplifié. Qu'est-ce que le morveux a vu dans un bon rôti bactérien? Miam. Kirlin n'est pas dans le bac à bouchons.

C'était aussi compréhensible qu'une cyberfiction écrite par un manteau. Mais Odia a remarqué un détail : le nom « Kirlin » avait surgi à deux reprises. Qui était-ce? Le complice de Moutier? Son bouchonneux le plus doué?

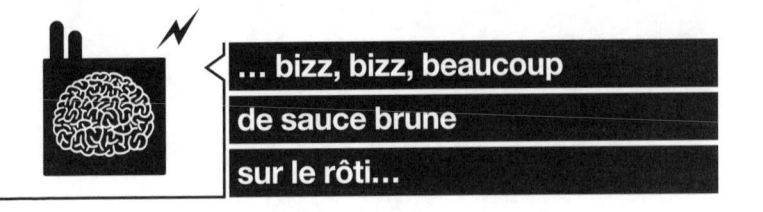

... bizz, bizz, beaucoup de sauce brune sur le rôti...

De mon côté, je commençais à m'inquiéter. Le Thinkie-Walkie produisait un petit grésillement semblable au bourdonnement d'une mouche. Moutier risquait de le repérer.

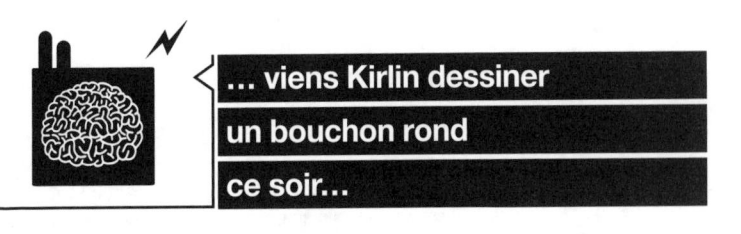

... viens Kirlin dessiner un bouchon rond ce soir...

Odia s'est connectée au réseau des Dentifrices Radodent pour consulter le répertoire des employés.

— Recherche Kirlin, a-t-elle dit à son biordi.
— Kirlin Radodent n'est plus à l'emploi de l'entreprise depuis onze ans, trois mois, douze jours et quarante-sept minutes, a répondu une voix automatisée.

Odia a été clouée par la surprise. Kirlin *Radodent*…
Un membre de la famille Radodent… Bien sûr! Si
le vieil homme donnait sa fortune à la charité, ses
descendants perdaient leur héritage. Il s'agissait
sûrement du complice de Moutier.

— Tu voulais me parler?

Déjà presque immobile, Odia s'est figée comme
l'image d'un module biomédia en panne. Le faux
réceptionniste venait d'arriver derrière elle.

— Je me présente, a-t-il poursuivi. Kirlin Radodent, fils
   de Jérôme Radodent.

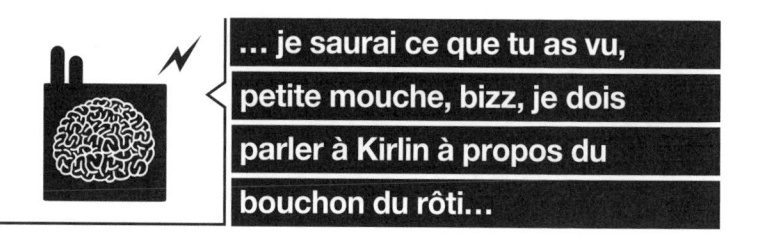

**… je saurai ce que tu as vu,
petite mouche, bizz, je dois
parler à Kirlin à propos du
bouchon du rôti…**

— Qu'est-ce que c'est que ça? a demandé Kirlin
   en reconnaissant la voix de Moutier.
   Tu espionnes les gens?

Soudain, les pensées confuses du vice-président se sont clarifiées, comme si une idée avait pris le dessus sur toutes les autres.

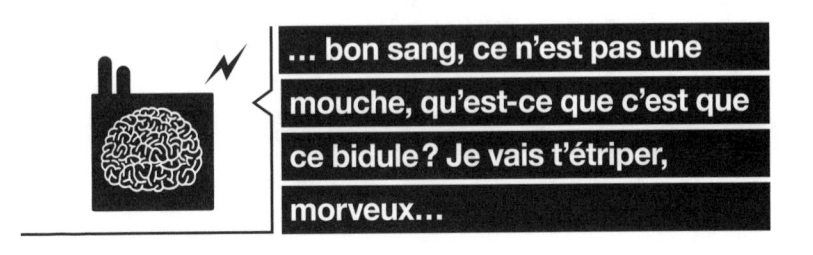

... bon sang, ce n'est pas une mouche, qu'est-ce que c'est que ce bidule ? Je vais t'étriper, morveux...

Moutier avait repéré le Thinkie-Walkie. Il s'est aussitôt jeté sur son bureau et m'a saisi à la gorge. Au même moment, Kirlin Radodent est entré, tenant Odia par les bras. Celle-ci se débattait sans succès.

— Euh... vous êtes ici pour me sauver ?
  ai-je demandé, plein d'espoir.
— Pas tout à fait... a répondu Radodent fils
  avec un sourire menaçant.

Chapitre

À la digithèque de l'école, monsieur Volodin avait branché l'ordinateur. Élixe a inséré la clé dans cette machine ridiculement énorme. Est-ce que quelqu'un peut m'expliquer comment on est censé se promener avec ce mastodonte dans sa poche ?

Quand Arthur a compris comment ouvrir le contenu de la clé, une vidéo s'est mise à jouer.

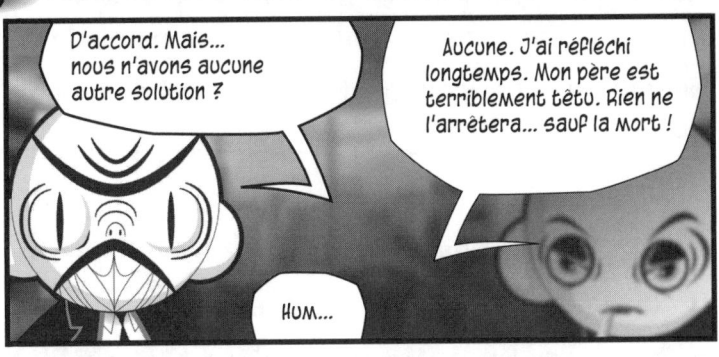

— C'est horrible ! s'est exclamé Arthur quand l'image s'est arrêtée. Il veut tuer son père ! Il a peut-être tué son père !

— Regarde ! a dit Élixe. La vidéo dure cinquante-deux secondes !

Mes amis venaient de déchiffrer un autre message codé de Radodent. Le vieil homme en avait appris plus sur la vraie nature de ses employés pendant les cinquante-deux secondes de cette vidéo qu'en quinze ans. Il avait compris que le vice-président était prêt à l'éliminer pour lui voler son poste…

***

À l'usine de dentifrice, les deux hommes nous gardaient enfermés dans le bureau de Moutier.

— À quoi jouez-vous ? nous a demandé ce dernier, pendant que Kirlin allumait un couteau-laser.

— On ne joue à rien, ai-je répondu. Mais si vous avez un bon vieux jeu de société à nous proposer…

Odia s'est retenue pour ne pas éclater de rire. J'étais conscient que nos vies étaient menacées et j'aurais

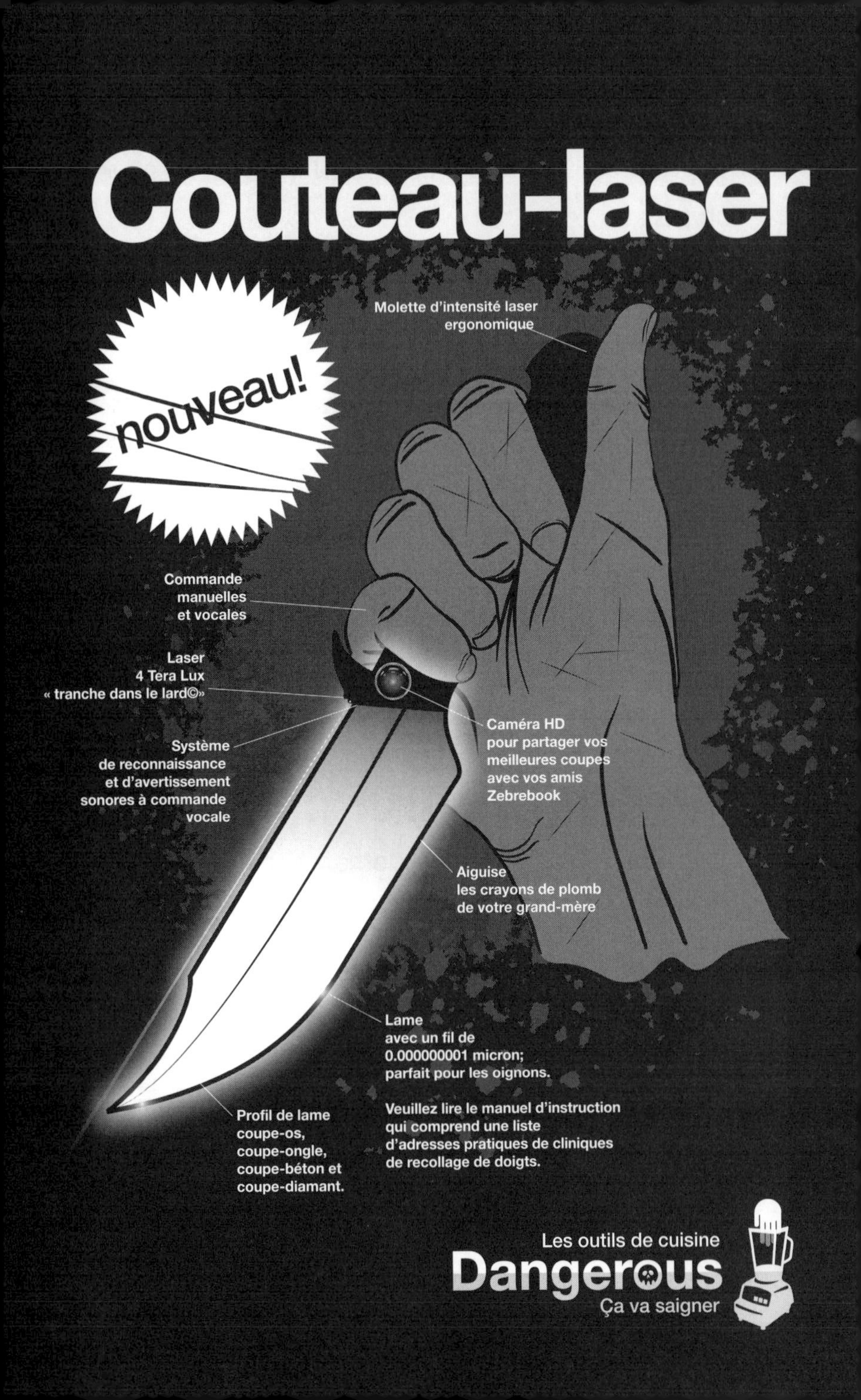

Couteau-laser
nouveau!
Molette d'intensité laser ergonomique
Commande manuelles et vocales
Laser 4 Tera Lux « tranche dans le lard© »
Système de reconnaissance et d'avertissement sonores à commande vocale
Caméra HD pour partager vos meilleures coupes avec vos amis Zebrebook
Aiguise les crayons de plomb de votre grand-mère
Lame avec un fil de 0.000000001 micron; parfait pour les oignons.
Profil de lame coupe-os, coupe-ongle, coupe-béton et coupe-diamant.
Veuillez lire le manuel d'instruction qui comprend une liste d'adresses pratiques de cliniques de recollage de doigts.
Les outils de cuisine
Dangerous
Ça va saigner

dû me tenir tranquille. Mais si je devais finir mes jours dans cette usine infecte, aussi bien m'amuser un peu. Ce n'est pas cette espèce de prof de maths qui allait gâcher mes derniers instants.

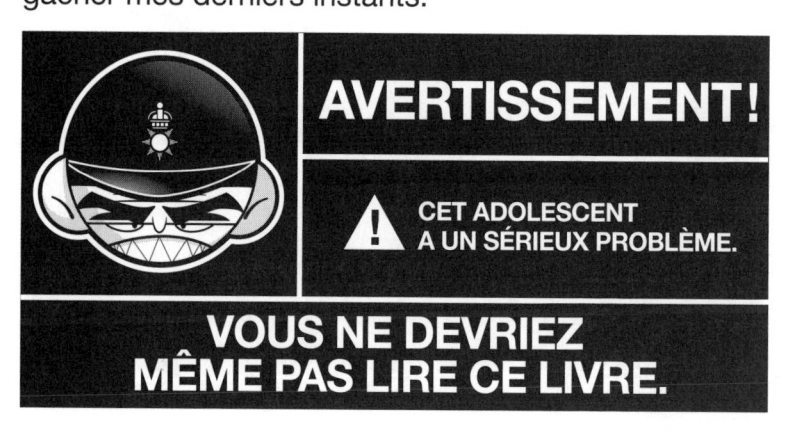

AVERTISSEMENT!

CET ADOLESCENT A UN SÉRIEUX PROBLÈME.

VOUS NE DEVRIEZ MÊME PAS LIRE CE LIVRE.

— Cesse de plaisanter! a hurlé Moutier. Sois sage et dis-nous ce que tu sais sur la disparition de Jérôme Radodent.

— Nous ne savons rien! a répondu fermement Odia, que je trouvais désormais non seulement très jolie, mais aussi très brave.

— Dans ce cas, voyons comment vous résistez à...

Un son déchirant a interrompu Moutier. Une sorte de hurlement, de grognement, de cri de cochon-pieuvre...

... Le ciel se liquéfie!

Au printemps déconfit!

— Qu'est-ce que c'est que ça? s'est énervé le
vice-président.

C'était le plus grand succès des Einstein Sauce Teriyaki,
qui servait de sonnerie à mon biordi.

— Nous avons plusieurs excellentes chansons, ai-je dit
à Moutier. Vous voulez les entendre?

Le vice-président est devenu rouge de colère. Élixe
aurait pu l'utiliser comme exemple pour son rapport sur
les tomates.

— Qui appelle? a demandé Kirlin.

J'ai regardé l'écran, où le visage d'Arthur apparaissait.

— Un de mes amis…

— Voici ce que tu vas faire, a ordonné Moutier. Réponds
et mets-toi sur haut-parleur. Dis-lui que tu es chez
toi et que tout va bien. Parle-lui exactement comme
d'habitude.

D'habitude, je parle sans couteau-laser sous la gorge.

Je n'avais pas d'autre choix que d'obéir.

— Allô?

— Gustave! a crié Arthur. On a regardé le contenu de la
clé que le vieux t'a donnée! Nous avons des preuves
d'un complot pour meurtre! Moutier et le fils de
Radodent voulaient le tuer! Sauve-toi de l'usine!

Les deux hommes ont échangé un regard paniqué, alors
que les battements de mon cœur et de celui d'Odia
s'accéléraient. Je devais cependant demeurer calme.

Il fallait passer en douce un message à Arthur et Élixe.

— Ha! ha! quelle histoire! ai-je répondu. Mais je ne peux
pas te parler longtemps. Je suis avec Odia, en train
de faire le devoir que le PROF DE MATHS m'a donné.
C'est tellement difficile! Je ne sais pas si nous allons
SURVIVRE à ce problème…

— Quoi?

— Je dois rester concentré. À demain!

Sur ce, j'ai raccroché.

Chapitre

Quand la communication s'est interrompue, Élixe et Arthur se sont regardés comme s'ils venaient de voir un castor jouer du Beethoven sur des coupes à vin.

— Qu'est-ce qu'il lui prend, à Gustave ? a demandé Élixe.

— Il doit être devenu fou, a répondu Arthur. Je ne l'ai jamais vu se concentrer pour faire ses devoirs de maths…

— Les maths ! s'est exclamée Élixe. Gustave a dit que Perrin Moutier ressemble à un prof de maths !

— Oh ! a lancé Arthur. Il nous a parlé en langage codé !

— Oui! Il craignait de ne pas survivre à un problème de maths! Moutier menace de les tuer! Il faut appeler la police!

***

— C'est quoi, ces histoires de maths et de clé? a grondé Moutier, bouillant de rage et d'angoisse.

Odia et moi n'avions qu'une possibilité : gagner du temps en espérant que nos amis avaient compris mon message et qu'ils enverraient du renfort.

— Vous m'avez ordonné de lui parler comme d'habitude, ai-je répondu. J'ai donc parlé de mathématiques. Je suis un bon élève, vous savez. Arthur, lui, adore discuter de clés, puisqu'il les collectionne. Connaissez-vous le monde fascinant des clés, Monsieur Moutier?

Odia n'a pu s'empêcher de rire. Moutier et Kirlin Radodent semblaient tellement sur le point d'éclater qu'ils commençaient à sentir le maïs soufflé.

— Arrête tes bêtises! a vociféré le vice-président. Il a dit que la clé contenait des preuves contre nous!

— Oui, les clés USB peuvent servir à stocker toutes sortes d'informations! est intervenue Odia qui avait envie de s'amuser, elle aussi. De la musique, des films, des photos de votre maman, les preuves d'un meurtre...

— On n'a tué personne! s'est défendu Moutier.

— Le vieux a disparu avant qu'on s'en débarrasse, a précisé Kirlin.

Odia et moi avons échangé un regard soulagé. Jérôme Radodent vivait toujours. Par contre, ligotés par deux hommes dont un armé d'un couteau-laser, nous n'aurions peut-être pas autant de chance. Il fallait continuer de gagner du temps.

— Il existe d'autres types de clés, ai-je dit, comme celles qui ouvraient autrefois des portes. N'est-ce pas, Odia?

— Oui! Et la clé de sol!

— Ça suffit! a ragé Kirlin. Le temps presse...

Le morveux qui a appelé détient des preuves
de notre complot! Il faut les récupérer!

— Gustave, conduis-nous chez ton ami! a ordonné
Moutier.

— Non, ai-je répondu fermement.

— Pourquoi pas? s'est énervé Kirlin en approchant
la lame de mon visage.

— Parce que vous ne nous avez pas expliqué
pourquoi vous vouliez éliminer monsieur Radodent.
On ne vous aidera que si vous nous donnez une
bonne raison.

Kirlin s'est emporté.

— Tu veux des raisons?! a-t-il hurlé. Mon père est
riche, très riche, mais il ne m'a jamais donné un
sou! Il m'a fait travailler comme livreur à un salaire
pourri! « Si tu veux de l'argent, gagne-le toi-même,
comme moi! » répétait-il. C'était insupportable!
J'ai quitté l'entreprise. J'ai vécu pauvrement en
attendant le jour où j'hériterais de sa fortune.
Puis qu'est-ce que j'apprends? Il donne tout aux

pauvres! Huit milliards de dollars qui devraient m'appartenir!

— Moi, a dit Moutier, j'ai tout à gagner en aidant Kirlin. Avec les frères Darashpieh à la tête de l'entreprise, je ne garderai peut-être même pas mon emploi! Tandis que Kirlin m'offre deux milliards et le poste de président…

— Hum… a fait Odia, songeuse. Je ne sais pas si ces raisons me convainquent…

— La ferme! a ordonné Moutier. Gustave, conduis-nous chez ton ami!

— Oh non! je viens d'avoir une meilleure idée! ai-je dit.

— Cesse de faire le clown! a beuglé Kirlin.

Le fils de Radodent a fendu l'air d'un coup de couteau. La pointe de l'arme s'est immobilisée à quelques millimètres de mon œil droit.

— La prochaine fois, je n'arrête pas mon geste, m'a-t-il menacé. Allons rejoindre ton ami.

***

Quelques minutes plus tard, deux agents internationaux, prévenus par Élixe et Arthur, défonçaient la porte du bureau de Perrin Moutier. Il n'y avait plus personne.

— Je vais composer le numéro du garçon, a dit l'un des agents. Nous pouvons le retracer par le signal de son biordi.

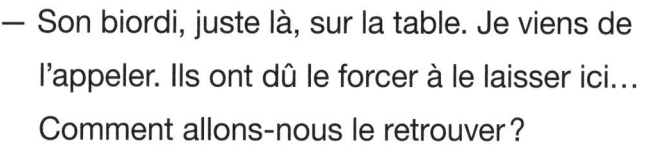

… Le ciel se liquéfie!
Au printemps déconfit!

— Qu'est-ce que c'est que ça? s'est étonné l'autre policier.

— Son biordi, juste là, sur la table. Je viens de l'appeler. Ils ont dû le forcer à le laisser ici… Comment allons-nous le retrouver?

Chapitre

Question d'avoir l'air normal aux yeux des voisins,
Moutier et Kirlin Radodent ont sonné chez Arthur,
au lieu de démolir la porte.

— Nous nous ferons passer pour des enquêteurs, a
expliqué le vice-président. Nous dirons aux parents
de ton ami qu'il a volé de précieux documents
portant sur la vente de notre compagnie.

Moutier a appuyé une première fois sur la sonnette.
Puis une deuxième. Et une troisième.

— Qu'est-ce qui se passe ? s'est énervé Kirlin.

— Il n'y a personne, ai-je répondu. Arthur est à l'école
et ses parents ne sont pas rentrés du travail.

— Tu le savais ? Tu nous as fait venir ici
quand même ?

— Je vous ai dit que j'avais une meilleure idée!
Vous êtes trop têtus…

Nos ravisseurs fulminaient. Toutefois, tant qu'ils n'avaient pas récupéré les preuves de leur complot, ils avaient besoin de nous.

— Conduis-nous à l'école, a ordonné Moutier. Cette fois, si ton ami n'y est pas, tu feras tes adieux à cette jeune dame…

Kirlin a effleuré le cou d'Odia avec la lame. Je l'ai regardée déglutir péniblement. C'est à ce moment-là qu'une sirène a retenti au loin.

— La police! a crié Radodent fils. L'autre morveux l'a sûrement prévenue! Si nous nous rendons à l'école, nous risquons de nous retrouver nez à nez avec des agents… Ce serait se jeter dans la gueule du loup!

— Mais si nous n'y allons pas, a rétorqué Moutier, il leur remettra les documents qui nous incriminent… Nous sommes fichus!

Si les deux bandits avaient été sages, ils se seraient enfuis sans demander leur reste. Mais ils avaient passé beaucoup de temps avec moi, et je commençais à exercer une influence négative sur eux. Ils ont pris une décision qui n'était pas du tout raisonnable.

— Nous allons vous tuer, tous les deux, a décrété Kirlin avec froideur.

— Hein? ai-je fait. Pourquoi? Vous n'avez encore assassiné personne! Vous vous en sortirez avec une peine minimale! Mais si vous tuez deux adolescents, on vous enfermera pendant plus de vingt ans!

— Nous n'avons pas vu les preuves que vous détenez contre nous, a expliqué Moutier. Elles ne sont peut-être pas concluantes. Les gamins de ton âge s'imaginent toutes sortes de choses. En revanche, vous deux, vous en savez beaucoup trop. Si vous n'êtes pas là pour témoigner au procès, la police ne pourra nous accuser de rien.

— Ils sauront que vous nous avez tués! a protesté Odia.

— Seulement s'ils retrouvent vos corps, a dit Kirlin. J'ai déniché une falaise parfaite pour jeter le cadavre de mon père. Rien ne nous empêche d'y mettre les vôtres à la place…

Le jeune Radodent a levé le couteau au bout de ses bras. D'une seconde à l'autre, il y aurait deux Gustave : le gauche et le droit.
— As-tu une dernière blague stupide à nous raconter avant de mourir ? a demandé Moutier d'un ton malicieux.

Je n'ai rien trouvé à répondre. Kirlin a frappé. J'ai senti la lame effleurer mes cheveux et… bloquer à cet endroit.

— Vous êtes sur le point de trancher de la chair humaine, a dit une voix automatisée venant du couteau. Êtes-vous sûr de vouloir continuer ?
— Oui ! s'est énervé Kirlin.

Le fils de Radodent a relevé les bras, puis frappé de nouveau. Encore une fois, la lame s'est arrêtée.

— Les dommages provoqués risquent d'être permanents. Êtes-vous sûr de vouloir continuer ?

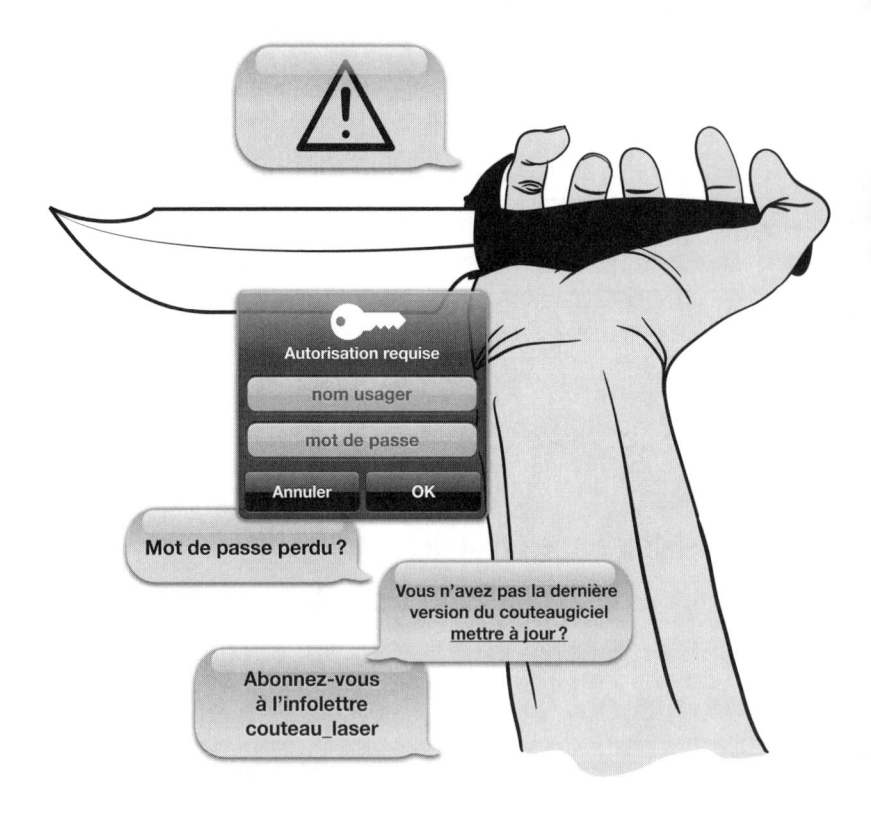

Nos deux agresseurs étaient au bout de leur patience.

— Oui! a hurlé Kirlin. Oui à toutes vos questions
   idiotes et...

Un vrombissement puissant a coupé la parole au
jeune Radodent. Deux motos venaient d'atterrir
derrière lui.

— Ne bougez plus! a ordonné une voix autoritaire.

J'ai reconnu les deux agents internationaux.
Ils pointaient leur montre ZFX sur nos ravisseurs,
qui se sont figés sur place. Comment les policiers
avaient-ils pu me retrouver si vite?

J'ai entendu un petit grésillement. On aurait dit le
bourdonnement d'une mouche... Le Thinkie-Walkie!
Odia avait toujours un combiné dans sa poche!
L'autre était resté dans le bureau de Perrin Moutier,
où les agents l'avaient découvert. Ils avaient pu nous
retracer grâce à son signal...

Épilogue

...

Quand madame Bourdim a appris mon aventure à l'usine Radodent, elle s'est sentie aussi mal qu'un androïde déménageur qui marche sur le pied d'une fillette.

— Pauvre Gustave! Tu as dû avoir si peur! Et tu n'as pas pu terminer ton travail… Attends un peu, je vais arranger quelque chose.

Ma prof a enfilé son biordi. Allait-elle me donner une note parfaite? Me libérer du cours jusqu'à la fin de l'année?

— Voilà! s'est-elle exclamée avec un sourire ravi. Je t'accorde un autre rendez-vous chez les Dentifrices Radodent. Tu auras une semaine de plus pour finir tes rapports. Satisfait?

Au moins, ma deuxième rencontre avec monsieur Radodent s'est beaucoup mieux déroulée que la première. Il n'était plus enfermé dans un grenier glauque, mais assis confortablement à son bureau, qu'il venait de vider de tous ses objets personnels.

— Je m'en veux terriblement d'avoir mis ta vie en danger, s'est excusé le vieil homme. Quand je te demandais de remettre la valise aux douaniers, je parlais des policiers. Comme les douaniers, ils représentent la loi! Ils auraient facilement détecté la clé dans les tubes, et cela t'aurait évité bien des ennuis.

C'était donc ça, cette histoire de douaniers!

— Pourquoi n'avez-vous pas communiqué directement avec la police? ai-je voulu savoir. Cacher des miettes de clé USB dans des tubes de dentifrice, c'est un peu hasardeux, comme plan, non?
— Je n'avais pas d'autre choix. Quand j'ai décidé de vendre l'usine, Moutier a changé de manière drastique. Il ne me parlait plus. Il m'évitait. J'étais

certain qu'il manigançait quelque chose. Je l'ai donc espionné par le système de sécurité… pour découvrir qu'il avait laissé mon propre fils le convaincre de m'éliminer !

Le vieillard a soupiré longuement avant de reprendre son récit.

— Pendant que j'étais connecté au système de sécurité, j'ai réalisé que Moutier me surveillait, lui aussi. Mon téléphone était sur écoute. Si j'avais appelé la police, il aurait coupé la communication. Il scannait probablement toutes les ondes de l'entreprise…

— Mobo ne pouvait pas avertir les policiers ?

— Je préférais obtenir l'aide de quelqu'un de l'extérieur, quelqu'un que personne ne soupçonnerait. Je me doutais bien que Moutier et Kirlin avaient Mobo à l'œil. D'ailleurs, j'en ai eu la preuve après ma disparition. Les deux scélérats l'ont battu, évidemment sans succès, afin qu'il leur révèle ma cachette.

— D'accord. Mais pourquoi votre langage codé ?

Même votre cachette était sur écoute ?

— Peut-être pas, mais je ne voulais courir aucun risque. Si j'avais parlé de meurtre et qu'on m'avait entendu, nous ne serions peut-être jamais sortis vivants de l'usine…

Tout ce temps, Radodent était donc resté tapi dans le grenier de son bureau. Mobo s'occupait de lui fournir discrètement de la nourriture et de… nettoyer son vidoir sanitaire portatif. Il faut ce qu'il faut.

En guise de remerciement, Radodent m'a offert une récompense : une figurine Dandy Dentique.

— Oh… euh… wow ! Merci !

— Hé ! hé ! C'est simplement un souvenir. Ce n'est pas ça, ta vraie récompense…

Radodent m'a offert un peu d'argent. Dix mille dollars. En 2097, ce n'est pas tant que ça. Selon moi, je méritais au moins la moitié de sa fortune, juste pour avoir enduré les explications de Perrin Moutier sur la fabrication du dentifrice.

Qu'est-ce qu'un garçon de quatorze ans peut acheter avec dix mille dollars ? Une nouvelle magnétobasse ? Une moto antigravité ? Mais non. Un robot culinaire Domingo 4000 !

Ces machines ont une fonction musicale dix fois plus sophistiquée que celle de notre sécheuse. Comme tous les Einstein Sauce Teriyaki avaient participé à l'enquête, il était normal que chacun profite de la récompense.

Odia mettrait plus de temps à surpasser les talents du robot. Par contre, nous sommes le seul groupe xank au monde à avoir une guitariste en plus d'un joueur de harpe qui nous prépare le lunch.

Pour la scène, tout n'est pas au point. On a donné un premier spectacle dans le gymnase de l'école. Domingo 4000 pensait que les spectateurs étaient les invités d'un grand souper. Il a passé tout le concert à leur souhaiter bon appétit.

Au moins, le public a aimé nos chansons. Je crois même que Judia Cassis m'a fait un sourire à la fin de notre performance.

Mais ça, c'est une autre histoire…

DENTIFRICE

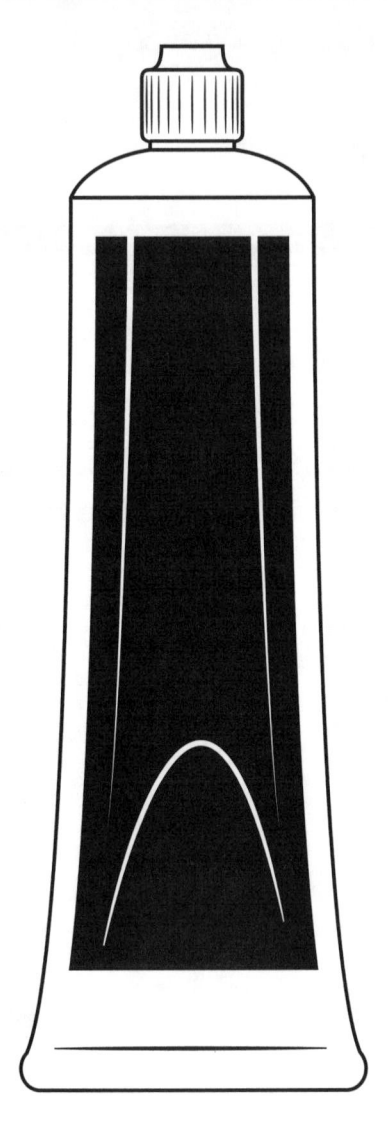

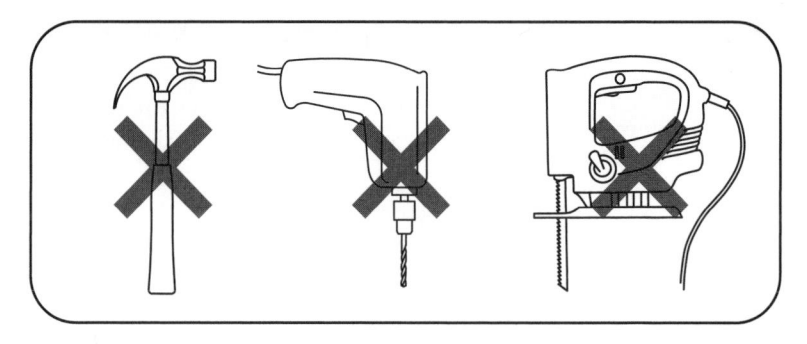

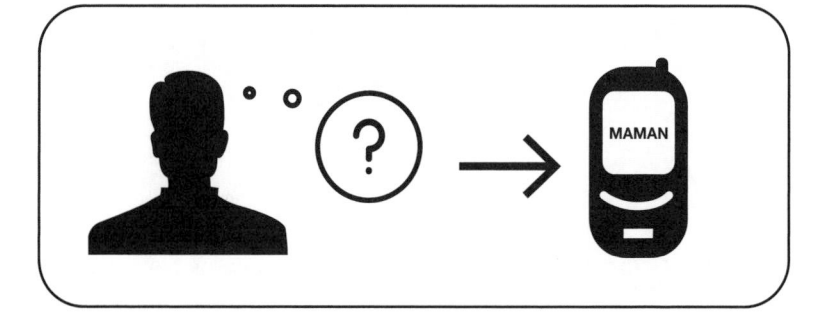

Design et qualité
Zèbre de Bayard

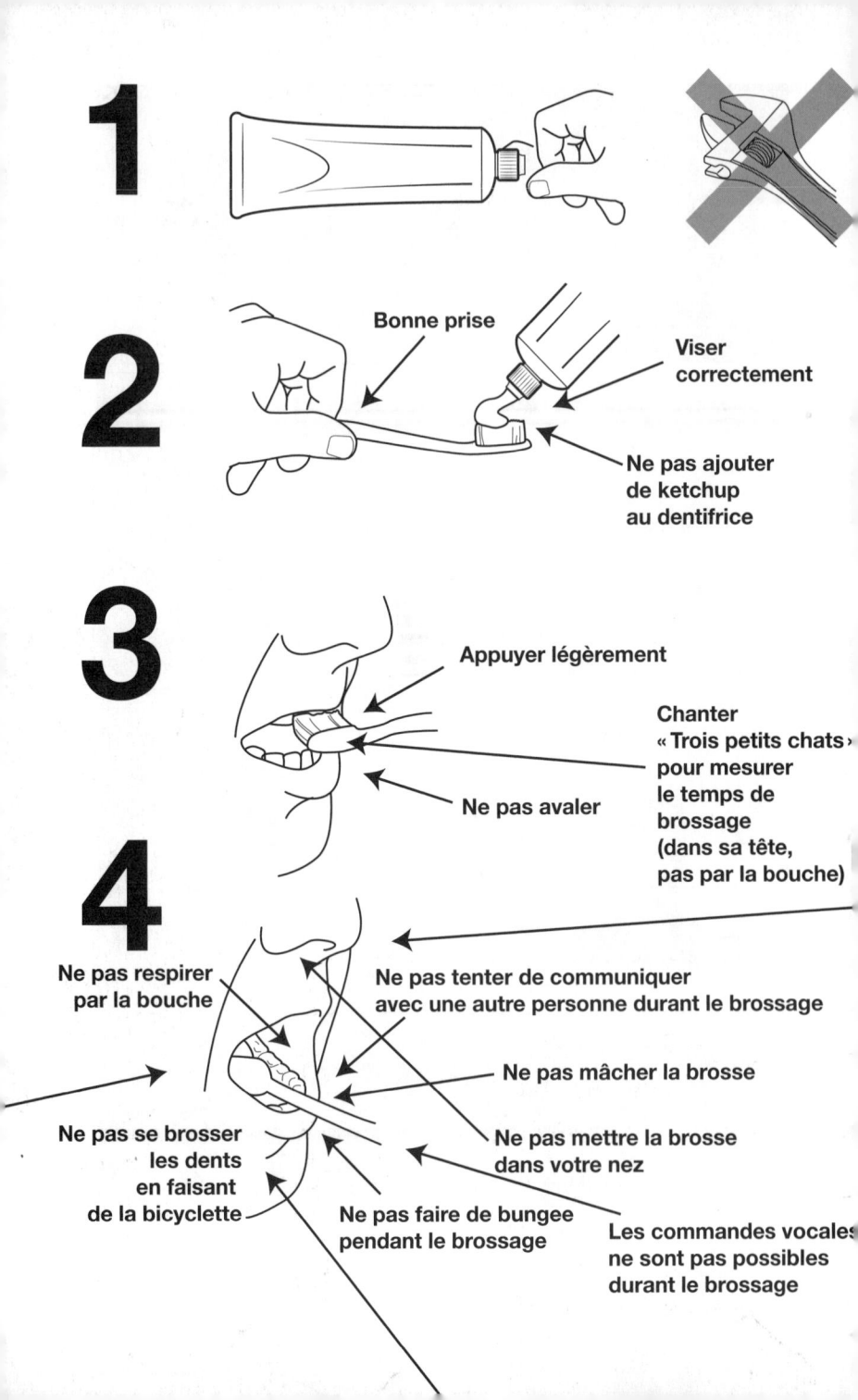